Florence/cinque Terre

t) y(t) A>0 B>0

NARRATORI MODERNI

Di Andrea Vitali in edizione Garzanti:

Una finestra vistalago
La signorina Tecla Manzi
Un amore di zitella
La figlia del podestà
Il procuratore
Olive comprese
Il segreto di Ortelia
La modista
Dopo lunga e penosa malattia
Almeno il cappello
Pianoforte vendesi
La mamma del sole
Il meccanico Landru
La leggenda del morto contento
Zia Antonia sapeva di menta
Galeotto fu il collier
Regalo di nozze
Un bel sogno d'amore
Di Ilde ce n'è una sola
Quattro sberle benedette
Biglietto, signorina
Furto di luna (solo ebook)
Parola di cadavere (solo ebook)
Il rumore del Natale (solo ebook)
Seguendo la stella (solo ebook)
Addio bocce (solo ebook)

ANDREA VITALI
MASSIMO PICOZZI

LA RUGA DEL CRETINO

Garzanti

Prima edizione: febbraio 2015

Per essere informato sulle novità del Gruppo editoriale Mauri Spagnol visita:
www.illibraio.it

ISBN 978-88-11-68878-5

Printed in Italy

www.garzantilibri.it

LA RUGA DEL CRETINO

I personaggi e le situazioni raccontati in questo romanzo sono frutto di fantasia. Le figure storiche di Ercole Chiaia, Cesare Lombroso, Gina Lombroso, Paolo Mantegazza, Salvatore Ottolenghi ed Eusapia Palladino sono qui liberamente inserite in contesti e vicende di pura invenzione. I luoghi, invece, sono reali.

1.

L'occasione era da prendere al volo.

La Serpe piantò lì di lucidare i pavimenti del rettorato – un po' ancora e consumava le piastrelle –, uscì e quatta quatta, come se avesse rubato qualcosa, si diresse alla volta di casa.

Era la tarda mattinata del 5 agosto 1893, vigilia della ricorrenza del miracolo: duecento anni prima la Madonna aveva pianto lacrime di sangue in quel di Lezzeno sopra Bellano, evento che aveva portato all'edificazione di un santuario e a celebrazioni della ricorrenza che, di volta in volta, erano diventate sempre più sontuose, richiamando fedeli e curiosi da tutto il territorio, bergamasco e Valtellina compresi.

Arrivavano anche autorità e monsignori colorati. Anche i capi, o come altrimenti si chiamavano, dello stesso rettore ai quali il rettore in persona offriva un pranzo degno di un re e il bilancio di un intero anno di gestione.

La Serpe si era messa a pulire tutto l'edificio del rettorato sin dalle prime ore del giorno. Ogni cosa doveva risplendere e il merito doveva andare solo a lei. A niente erano servite le insistenze del rettore affinché si prendesse un aiuto per quell'occasione: la donna aveva sempre rifiutato, ci mancava solo di dover dividere complimenti e vantaggi con qualcun altro.

All'alba era partita all'attacco di ragnatele, angoli remoti, fughe di piastrelle, libri, maledetti!, che attiravano polvere più di ogni altra cosa.

Da un'alba che, però, sembrava minacciare la sua fatica.
Nuvolaglia in cielo, senza che fosse ben chiaro se volesse portare acqua oppure starsene lì a rendere soffocante la giornata.
Per el sòfec, va be', pensava la Serpe.
Ma se si fosse messo a piovere sarebbe dovuta stare di guardia davanti alla porta del rettorato per impedire che i morti di fame di mezza Lombardia che andavano a trovare il rettore – anima santa, non rifiutava mai niente a nessuno! – per portargli regali e avere in cambio un'effigie benedetta della Madonna piangente, non le impiastrassero il pavimento col bel risultato che le sarebbe toccato rifare tutto da capo.
Una era già arrivata.
Presto.
Quella.
La chiamava così perché non sapeva né il nome né il cognome.
Pulita, profumata, un bonbon.
Sempre così, da che aveva preso l'abitudine di andare al santuario e passare qualche mezz'ora in chiacchiere col rettore.
Sembrava che camminasse sollevata da terra, tanto che non lasciava mai sporco dove passava. E quella mattina l'aveva mandata il Signore benedetto, o addirittura la Madonna.
Lei per caso s'era trovata dalle parti dello studio del rettore, la porta semiaperta. Non aveva potuto fare a meno di ascoltare le chiacchiere dei due, d'altronde era mica colpa sua se aveva le orecchie.
E aveva capito che quella era un'occasione da prendere al volo.
Perciò aveva piantato lì secchio e spazzolone ed era uscita per volare a casa.
Suo marito Arcadio l'aveva guardata senza parlare.
«'Scolta.»

Allora lui aveva distolto anche lo sguardo.

Quando la Serpe faceva così, quando piantava lì i mestieri in casa del rettore, voleva dire che aveva spiato cose.

Quella lì incinta, quello là bastardo...

Quell'altro che aveva fatto andare in stalla il veterinario di notte...

Oppure qualche malattia. Ancora peggio, perché poi gli sembrava di avercela addosso.

Cosa gliene fregava a lui di tutte quelle balle?

Che andasse a raccontarle alle galline del pollaio certe cose.

Ma quella volta no.

Quella mattina c'era in lì un'occasione, mandata certamente dall'alto dei cieli, da prendere al volo per togliersi dalle spese la Birce, terza e ultima figlia, ma storta, della famiglia.

2.

La Birce, un bel pensiero!

Cosa diavolo avesse lo sapeva il Signore, e forse nemmeno lui.

Sedici anni e il destino stampato sulla faccia: una voglia blu sulla guancia sinistra che sembrava il lago di Como. Solo che ogni tanto diventava rossa e quando succedeva la ragazza si menava via.

Stava via anche delle belle mezz'ore. Quando tornava non lo sapeva nemmeno lei dov'era stata, inutile farle domande.

La prima volta era successo che era poco più di una bambina. Una mattina era andata a regolare le galline e a rassettare il pollaio. Era tornata dopo quasi un'ora con le uova: sette, già sode.

L'Arcadio aveva dato fuori.

Dove sei stata, cosa hai fatto...

Risposta?

«Niente.»

Niente, anche dopo tre o quattro cinghiate.

Lui gliel'aveva giurata: che non si ripetesse più.

Infatti!

Due mesi dopo, la famiglia intera, cioè lui la Serpe e la Birce, perché le altre due figlie Astasia e Veritiera erano già da un pezzo a servizio dalla parte di là del lago, vitto alloggio e cara grazia!, erano a far fieno sui prati della Masmina.

Luglio, sole che cuoceva il cervelletto. Erano rimasti

senz'acqua. L'aveva mandata a prenderne un fiasco una sorgente nei boschi sotto Pradello. La Birce era tornata dopo un'ora e mezza, quando lui e la Serpe non riuscivano nemmeno più a parlare da tanto che erano asciutti. L'acqua era tiepida che sembrava piscia. Le scialesate che le aveva dato avevano lasciato sulle gambe della ragazza dei lividi che erano andati via dopo un mese. Quanto bastava perché ne combinasse un'altra.

Era ormai tempo di pensare alla vendemmia, preparare la cantina. L'Arcadio le aveva detto di grattare la tina, pulirla e lavarla, pronta per l'uva nuova. La Birce era stata via tutto il pomeriggio. Come tempo ci stava. Solo verso sera la Serpe aveva cominciato ad avere qualche dubbio.

Non è che...

Neanche il tempo di dirlo.

La Birce era comparsa sulla soglia di casa al braccio della Perseghèta, una che condiva col veleno anche l'ostia della comunione. Aveva riferito di averla incrociata per caso, spaesata, con un'espressione soave in viso e che alle sue domande aveva risposto in una lingua che sembrava quella del prete in chiesa. Latino.

«Macché latino e latino», aveva risposto la Serpe brancando la figlia per un braccio e tirandola in casa.

La Perseghèta non aveva mollato. Se non era latino, era qualcosa di simile. Certamente non era dialetto.

«Ve lo sarete sognato», aveva ribattuto la Serpe.

La Perseghèta si era offesa.

«Io non mi sogno da sveglia. Io!» aveva ribattuto.

Così il guaio era stato fatto, cretina di una moglie, aveva commentato l'Arcadio una volta messo al corrente.

Cretina, proprio.

Perché c'era da scommettere che nel giro di un paio di giorni la fama della Birce, già traballante per via della voglia sulla guancia, sarebbe stata compromessa del tutto grazie alla lingua della Perseghèta. Cosa che era puntualmente successa. Infatti lo stesso rettore del santuario pochi giorni dopo era piombato in casa dell'Arcadio.

«Cos'è 'sta storia che la Birce parlerebbe latino?»

Ma non solo.

Ormai, di bocca in bocca, la figura della ragazza s'era arricchita di fronzoli sempre più fantasiosi e il rettore, latino a parte, non poteva che essere preoccupato.

«Per il buon nome del santuario, mica per me», aveva puntualizzato.

Ma non poteva tollerare che della figlia del suo sagrestano e della sua perpetua si dicessero cose come quelle che gli avevano riferito in confessione o anche solo così, a quattr'occhi: cioè che quella voglia che aveva in viso fosse segno di benedizione o maledizione, secondo i punti di vista, o che era stata vista mentre parlava con la Beata Vergine o che fosse la reincarnazione di quel Mezzera che aveva assistito al miracolo della Madonna che piangeva lacrime di sangue nel lontano 6 agosto 1688.

Erano cose che non facevano bene alla nomea del santuario. Cose che se fossero arrivate all'orecchio della Curia avrebbero potuto mettere lui in grave difficoltà.

L'Arcadio e la Serpe s'erano guardati col timore che il rettore fosse andato lì per mandarli fuori dalle balle.

Perché poi dove sarebbero andati? In che modo avrebbero campato la vita?

3.

Il rettore l'aveva pensato un modo.

Tenessero d'occhio la Birce, magari non la facessero uscire fino a che, con l'inverno, il traffico dei pellegrinaggi verso il santuario non si fosse spento. E nel frattempo, magari, la facessero vedere dal dottor De Rousses che già in tanti altri casi aveva dimostrato di saper fare cose che se non erano miracoli poco ci mancava.

L'Arcadio e la Serpe avevano ubbidito e per la Birce era stato l'inizio della fine.

Il dottore infatti aveva preso a cuore il caso della ragazza.

Fin troppo, secondo i genitori.

E mica per i soldi, perché il De Rousses sin dalla prima visita non aveva voluto un centesimo.

Insomma, una volta ascoltati i resoconti dei disturbi, il dottore aveva subito concluso per un caso di mal caduco e prescritto i rimedi in uso: bromuro di potassio, anche ferro e zinco.

Risultato, zero, o quasi.

Anzi, stante la segregazione domestica raccomandata dal rettore, l'Arcadio e la Serpe avevano potuto constatare come le fughe dalla realtà della Birce fossero molto più frequenti di quanto avevano immaginato. E verificato pure che, di tanto in tanto, dalle sue labbra uscivano parole che sembravano proprio quelle del prete in chiesa o comunque di una lingua che la Birce non poteva conoscere.

Informato, il De Rousses aveva mutato strategia e detto ai genitori che avrebbe voluto approfondire la conoscenza del caso.

Come?

Studiandolo sul campo.

In pratica aveva cominciato a salire verso la frazione a tutte le ore del giorno, invadendo la casa dell'Arcadio per interrogare e soprattutto osservare i comportamenti della ragazza. Infine aveva ottenuto due risultati.

Il primo era stato quello di creare un alone di curiosità morbosa intorno a quelle sue continue e irregolari visite alla Birce: tutto ciò, unito alle chiacchiere che la Perseghèta aveva già disseminato, non aveva fatto altro che provocare illazioni e fantasie sulla malattia della ragazza, se poi era una malattia e non qualcos'altro di misterioso e terrificante.

Il secondo risultato, l'unico per quanto lo riguardava, era stato osservare che la Birce entrava in quello stato quando la voglia che aveva in viso da blu che era in condizioni normali si faceva rossa, come se il sangue vi affluisse all'improvviso e con potenza. Cosa volesse significare non lo sapeva. Di certo non aveva niente a che fare con il mal caduco.

L'aveva detto ai genitori.

Bromuro, zinco, ferro...

Non erano quelle le cure per una malattia, se pure era tale, di cui non conosceva le cause.

«Ci sarà pure qualcosa d'altro da fare, no?» aveva chiesto un esterrefatto Arcadio.

«Non lo so», aveva onestamente risposto il De Rousses.

«Lo so io», disse la Serpe la mattina del 5 agosto 1893.

Le occasioni andavano prese al volo.

4.

Ascoltato ciò che la Serpe aveva orecchiato in casa del rettore, l'Arcadio pensò a un miracolo.

Tacque perché miracoli e affini gli sembravano cose da donnette. Tuttavia la suggestione era forte.

In fin dei conti era o no la vigilia del giorno in cui a Lezzeno si celebrava la Madonna che aveva pianto lacrime di sangue?

«Ma il rettore?» chiese subito.

Avrebbe potuto dire no, che non se la sentiva di raccomandare una come la Birce perché fosse presa a servizio dalla signora che da circa un anno saliva ogni domenica al santuario per chiacchierare con lui.

Forse era addirittura sua parente..., in effetti si assomigliavano un po'. O forse, senza essere parenti, amica d'infanzia.

Comunque se la contavano su, passeggiando intorno al santuario oppure guardando il lago dalla terrazza del rettorato, a segno che tra loro c'era confidenza. Se invece il tempo era brutto era facile vederli dentro il santuario, seduti su un banco delle prime file e in quelle occasioni più che parlare i due sembravano pregare.

In ogni caso, quando erano assieme sia lui sia lei davano proprio l'impressione di appartenere a un altro mondo. Il rettore, che era già un lungagnone smorto, sembrava diventare ancora più alto e il pallore del viso pareva quasi un colore. Lei sembrava che fosse saltata fuori da uno degli affreschi che ornavano la volta del santuario, una di quelle donne ai piedi della croce con un viso di marmo e di fierezza nonostante il dolore.

E a una così, il rettore gli zifolava il nome della Birce?

Credeva forse di avere a che fare con la moglie del proprietario della trattoria Disperata di Gera dove avevano infilato la Veritiera oppure con la moglie dello speziale Chinchin dove avevano piazzato l'Astasia?

«Sì», rispose la Serpe.

E intendeva rispondere così alla prima delle domande del marito.

Sì, perché il rettore credeva ai miracoli.

Quindi, si fidasse e la lasciasse fare.

5.

Lacrime e sospiri.

La Serpe ne aveva una riserva sempre pronta all'uso, da tirare fuori a comando.

Lacrime che bagnavano i pavimenti dell'inferno, sospiri che potevano giungere alle orecchie di Nostro Signore, figurarsi a quelle del rettore.

Li udì infatti il rettore, poco dopo essere rientrato dalle ultime confessioni per prepararsi con un bello zabaione nello stomaco al rosario delle quindici e trenta e agli imprevisti della vigilia che non mancavano mai.

La Serpe era tornata nel rettorato, l'aveva anticipato di poco.

Spazzolone in mano, un colpo al pavimento e un sospiro, fino a che il rettore si fece alla porta della cucina.

«O Serpe, cosa c'è?»

C'era che la Birce ne aveva inventata un'altra delle sue.

Proprio quella notte, secondo le parole che la ragazza le aveva riferito al mattino, s'era sognata della Madonna che, con il viso ancora rigato di sangue per le lacrime versate, le aveva detto che non di dottori e medicine aveva bisogno per guarire, ma di cambiare aria. E allo scopo le avrebbe offerto l'occasione per farlo. A lei coglierla senza fallo, perché sarebbe stata l'ultima, altre non ne avrebbe avute.

Adesso era lì in casa, agitata da far paura, che si guardava in giro come un'indemonia... pardon!, come un'invasata, scrutando nell'aria della cucina come se da un momento all'altro l'occasione sognata dovesse comparire chissà da dove. L'Arcadio aveva tentato di farle prendere un po' di quel bromuro che il dottor De Rousses aveva prescritto e che perlomeno la faceva dormire, ma lei aveva risposto che la Madonna le aveva detto che farmaci e dottori non servivano a niente.

Aria nuova, invece, aria nuova!

«Vi pare possibile, rettore?» chiese la Serpe.

«Be', in un certo senso, sì», rispose il rettore grattandosi il mento.

Possibilissimo, se la Serpe aveva orecchiato ciò che Giuditta Carvasana gli aveva detto nel suo studio, cosa della quale il rettore era assolutamente certo.

6.

Chi fosse Giuditta Carvasana, la donna che da un anno circa abitava in villa Alba, l'ultimo edificio che sorgeva dentro i confini del comune di Bellano, quasi al limite con quelli del comune di Varenna, lo sapeva con precisione solo il rettore del santuario di Lezzeno.

Per il resto sul conto della donna giravano delle gran balle.

Alcuni asserivano di averla udita gorgheggiare, quindi l'avevano giudicata una cantante lirica che aveva abbandonato le scene, forse lei stessa abbandonata dalla voce. Altri, che giuravano di averla vista con un binocolo in mano a scrutare verso il lago e le montagne della riva occidentale, la ritenevano una spia, francese o 'striaca. A spiare cosa poi, lì, a Bellano, dalle finestre della sua villa, era un vero mistero.

Un po' di mistero in verità, intorno a quella donna e al suo arrivo a Bellano, c'era e prima di tutti proprio lei, Giuditta Carvasana, l'aveva creato e contribuiva a mantenerlo.

A un certo punto, un anno prima, le persiane di villa Alba si erano riaperte dopo un paio d'anni di chiusura serrata, cioè da quando il proprietario precedente, il novantenne Cavaliere del Regno Ulderico Giannuzzi, vedovo solitario e rincoglionito, era morto pare senza lasciare eredi. Ad accorgersene era stato per primo il pescatore Angiolo Minutoli, passando in barca sotto il muro del giardino a largo della villa. Aveva subito riportato la notizia all'osteria, creduto sì e no dagli avventori.

Ma lo stesso giorno più di una barca era passata in vista di villa Alba per verificare la notizia.

Vera.

Qualcuno aveva davvero aperto le finestre della villa, forse per dare aria alle sue numerose stanze.

Una donna.

Anzi, due.

Sicuro due, perché una era bionda e l'altra mora.

Due serve allora. Era chiaro. Mandate in avanscoperta per preparare la villa all'arrivo di chissà quali signori.

Solo che, a un mese dall'arrivo delle due, i signori tanto attesi non erano ancora arrivati.

Un bel mistero!

Forse voleva dire allora che delle due una era la padrona e l'altra la sua cameriera.

Le cose infatti stavano proprio così.

Ma, chi era l'una e chi era l'altra?

Quella bionda.

La padrona era quella bionda.

Ma lo sapeva solo la perpetua Spantèga e non l'avrebbe detto a nessuno.

Tutto sapeva, dalla rava alla fava.

Per arrivare a tanto non aveva nemmeno avuto necessità di stare schiscia contro la porta dello studio del sciòr prevosto per ascoltare quello che i due s'erano detti. Infatti quando quella lì, la bionda, era arrivata in canonica lei stava uscendo per delle commissioni urgenti. Innanzitutto portare al sarto Pellacci la marsina che il sciòr prevosto usava quando decideva di andare a fare qualche lavoretto nell'orto che c'era dietro la canonica. Talmènt stràscia, la marsina, che nemmeno le sue mani d'oro erano riuscite a rattopparla, ci voleva un sarto, perché il sciòr prevosto non ne voleva una nuova, quella e basta! Seconda cosa doveva passare dalle suorine che si occupavano di preparare le ostie per le comunioni per rifare la scorta che ormai era al limite.

L'urgenza si era dissolta quando quella era entrata in canonica, perché profumata e vestita com'era, chissà di cosa aveva bisogno!

Allora lei aveva pensato di far solo finta di uscire.

«Io vado», aveva detto dopo aver accompagnato la bionda dal prevosto.

Invece era rimasta lì nel corridoio appena fuori dalla porta dello studio che nessuno, lei men che meno, aveva chiuso.

Era così che aveva saputo nome e cognome. E che era la nuova proprietaria di villa Alba. E che era lì per chiedere al sciòr prevosto se poteva andare da lei una volta alla settimana per officiare la messa nella cappella padronale.

Figurarsi, con tutto quello che el sciòr prevòst al gh'era de fa!

"Ma dico io!" era sbottata tra sé la perpetua all'uscita della Carvasana.

Il prevosto infatti le aveva risposto che non poteva.

Gentile neh!

Le aveva detto che apprezzava le intenzioni e l'offerta per il disturbo e l'aveva invitata a testimoniare la sua fede così come facevano tutti gli altri cristiani, cioè partecipando alle funzioni presso la prepositurale bellanese.

Però, se proprio proprio...

Se proprio proprio aveva la necessità di sentir messa sola soletta, poteva rivolgere quella richiesta al rettore del santuario di Lezzeno, sacerdote di buon comando e certo meno impegnato di lui.

La Carvasana aveva seguito il consiglio e in un primo pomeriggio primaverile era salita alla volta di Lezzeno, scoprendo via via la bellezza del luogo, il fascino del panorama di lago visto da quella altezza. Ma era stata l'estenuante calma che aveva trovato dentro le mura del santuario a farla decidere e poco dopo s'erano aggiunte anche le parole del rettore. Così aveva rinunciato all'idea di una messa privata, celebrata presso la cappelletta di villa Alba, salendo invece ad assistere a quelle che il sacerdote officiava a Lezzeno, facendo di lui il proprio padre spirituale: l'uomo, il prete cui avrebbe raccontato di sé ogni cosa sviluppando con lui una confidenza che mai avrebbe immaginato prima di allora e al quale si sarebbe rivolta in casi particolari per averne consiglio o aiuto.

Così come aveva fatto la mattina del 5 agosto 1893.

7.

La mora, la cameriera personale di Giuditta Carvasana, da una decina di giorni non c'era più. Parola del pescatore Minutoli, che tutte le mattine passava con la sua barca sotto le finestre di villa Alba e alle sette spaccate, confermate dal campanile della chiesa, la osservava aprire le persiane della sua camera, salutandola anche agitando la mano senza peraltro averne mai avuto un gesto di risposta.

Saluto o no a parte, la mora era sparita.

Persiane chiuse.

Che fosse malata?

Non lei.

La madre, Ghiaia Rescaldin, veneziana, settantottenne, vedova, genitrice di due figli: uno, Biagio, morto, l'altra, viva, Ciòccola, che era appunto la mora che per mesi il Minutoli aveva spiato e salutato per niente.

Il Biagio, valente vogatore, era morto annegato l'anno precedente durante un allenamento in vista delle regate genovesi che avrebbero fatto da contorno alle celebrazioni per il quattrocentenario della scoperta delle Americhe. La Ciòccola, tutt'altro che sparita, era soltanto ritornata a Venezia per prendere parte a una messa in suffragio del fratello e accompagnare poi la vecchia madre verso il Mar Ligure per gettare una corona di fiori in quelle acque, visto che il corpo del giovanotto non era mai stato recuperato. Durante il viaggio di ritorno, l'anziana donna aveva avuto un malore, un colpo apoplettico le cui conseguenze avevano indotto la Ciòccola a licenziarsi dal servizio presso la Carvasana: la madre infatti, sola al mondo, poteva contare solo sul suo aiuto. Giuditta le aveva consigliato di non abbandonare colei che l'aveva messa al mondo e le aveva garantito che nessuno avrebbe preso il suo posto: cioè, con un giro di frasi per evitare di essere troppo diretta, le aveva comunicato che una volta libera, morta la vecchia insomma, sarebbe potuta ritornare presso di lei.

Nel frattempo però aveva comunque necessità di un aiuto domestico. E, per consiglio, si era rivolta al suo padre spirituale, il rettore del santuario di Lezzeno.

8.

La Serpe rientrò in casa con un'espressione raggiante, rossa che sembrava avesse preso un colpo di calore. L'Arcadio stava spellando un coniglio. Le mostrò l'indice e l'anulare: due. La Birce s'era menata via ben due volte mentre lei era assente. La Serpe scrollò le spalle. Non era più affar loro ormai.

«Il prete ci è cascato», disse.

Secondo lei, il rettore aveva abboccato alla sua manfrina di sospiri.

Il rettore invece non era mica nato ieri.

Fingendo di abboccare all'amo che gli aveva lanciato la Serpe, aveva subito pensato che togliere la Birce dal veleno che le impestava l'aria che respirava ogni giorno non sarebbe stata una cattiva idea.

Senza saperlo aveva avuto lo stesso pensiero della donna: le occasioni andavano prese al volo.

Non glielo aveva forse detto più e più volte la Carvasana che sentiva da un po' di tempo la necessità di arricchire la sua vita facendo qualcosa per gli altri, che voleva mettere a disposizione di qualcuno le cose che la vita le aveva insegnato, un po' come se avesse avuto un figlio o una figlia? Che era stanca di pensare solo a sé stessa?

«Vi è successo qualcosa che vi ha portato ad avere pensieri di questo tipo?» aveva chiesto lui.

Giuditta non aveva risposto. Aveva lasciato a lui il compito di intuire ciò che era accaduto e che le aveva cambiato la vita, il dilemma attorno al quale si interrogava.

Non era stato difficile per il rettore leggere tra le parole della donna.

C'era di mezzo l'amore, l'amore vero...

Perché era quello, era per quello che Giuditta Carvasana era approdata sulle rive del lago di Como.

L'amore.

9.

L'amore era scoccato una sera di gennaio dell'anno precedente, nel foyer del teatro Dal Verme a Milano, dove si dava una rappresentazione de *Le Villi* di Giacomo Puccini, nell'ambito delle manifestazioni per il ventennale dell'apertura. In quell'occasione Giuditta Carvasana aveva conosciuto, cominciando a innamorarsene, Evaristo Cressogno, proprietario e direttore dell'omonimo teatro di Como. Amore ben presto corrisposto e galeotto, poiché il Cressogno era sposato. Convenzioni e convenienze erano però state dimenticate alla svelta dai due. Gli incontri, da clandestini, s'erano fatti via via più disinibiti. Disinibito e importante era stato quello che aveva sancito una svolta nella vita degli amanti.

Per due ragioni.

La prima era che quella sera il Cressogno aveva consegnato a Giuditta le chiavi di villa Alba. Parlava da tempo di prendere una casa per la «donna della sua vita». Una volta concluso l'acquisto aveva taciuto per godere la sorpresa di Giuditta. La seconda ragione era stata l'incontro tra la stessa Giuditta e la famosa medium Eusapia Palladino, incontro che aveva sancito l'amicizia tra le due donne.

L'occasione era stata una delle sedute che la Palladino aveva tenuto a Milano con il preciso scopo di dimostrare, davanti a una sorta di commissione giudicante, la bontà delle sue doti che da alcune parti veniva messa in dubbio e sbeffeggiata. Evaristo Cressogno era stato invitato a partecipare dallo stesso impresario della medium, il napoletano Massimino Chiaia, nipote degenere del dottor Ercole Chiaia, e s'era portato la Giuditta, curiosa di vedere di cosa fosse capace quella donna di cui si diceva tutto e il suo contrario. Alla seduta erano presenti nomi eccellenti: Giovanni Schiapparelli, direttore dell'osservatorio astronomico di Brera, Angelo Brofferio, letterato e spiritista, Giuseppe Gerosa, fisico, Aleksander Aksakof, consigliere di stato dell'imperatore di Russia, Giorgio Finzi, pure lui spiritista ma soprattutto proprietario dei locali presso i quali si svolgevano le sedute.

Quella sera la Palladino era tutt'altro che in forma.

Raffreddata, anche un po' rauca.

Per non deludere i presenti, aveva fatto ricorso a certi trucchi del mestiere il cui esito era stato quello di far nascere nuovi dubbi sulle sue qualità.

All'impresario napoletano l'esito insoddisfacente della serata non aveva creato il minimo imbarazzo. Nella Palladino lui vedeva comunque un ottimo affare.

Non parlava con l'aldilà?

E vabbuo', chemmampuort'!

Anzi, meglio.

I muort...

I morti era meglio lasciarli in pace, si sapeva mai.

Semmai covava da tempo l'idea di mettere su uno spettacolo di illusionismo di cui l'Eusapia doveva essere l'attrazione principale, ed era alla ricerca di impresari e direttori di teatri che ne appoggiassero il progetto.

Di tutto ciò aveva parlato con il Cressogno dopo la fallimentare serata, passeggiando a tarda notte per le vie di Milano, lui davanti con l'impresario comasco, Giuditta pochi passi dietro la coppia di uomini, a ricevere le confidenze di una sconsolata Eusapia Palladino.

10.

Non era mica brutta la Birce.

Senza dubbio più carina delle sorelle che per gran parte, occhi troppo ravvicinati e fronte bozzoluta, avevano preso dalla madre.

La Serpe l'aveva chiamata in cucina per comunicarle la novità che per il momento conosceva soltanto lei. Tuttavia, che il rettore non avesse ancora detto niente in proposito era un dettaglio, particolare superfluo. Un miracolo era un miracolo, quindi le cose dovevano andare nella direzione che lei aveva immaginato. Semmai poteva temere qualcosa dalla Birce, che obiettasse, che si negasse al compito. Si era preparata. Prima che la figlia potesse aprire bocca l'avrebbe informata, mentendo ma a fin di bene, che era stato il rettore in persona, stante l'alto profilo morale della signora, a indicare lei e nessun'altra.

Così era stato, poi l'aveva guardata, ma guardata bene, come se la vedesse per la prima volta.

Mica brutta, a parte quella voglia sulla guancia che però con un po' di cipria si vedeva appena.

Mica brutta ma malmessa.

Strepenàda.

Spettinata, malvestita.

E con un odore di pollaio intorno che s'era portata dietro quando era entrata in cucina.

Così concia non poteva certo andare a servizio.

«Alè!» disse la Serpe.

L'Arcadio la guardò, il coniglio spellato in grembo, il

collo molle, la testa che gli pendeva in mezzo alle gambe come un mostruoso uccello.

Alè cosa?

Alè, spiegò la Serpe, voleva dire che bisognava darsi da fare perché la Birce doveva passare dallo stato di strìa in cui era adesso a quello di servetta pulitina e ordinatina.

O all'Arcadio pareva che potesse presentarsi così per prendere servizio a villa Alba?

No, vero?

Il che allora significava prima di tutto lavarla a fondo, sgurarla per bene, se suo marito aveva capito cosa voleva dire.

Poi sistemarle la testa che al momento sembrava quella di uno spaventapasseri. Una bella rasata, piazza pulita di capelli e pidocchi. Poi, a opera compiuta, una bella cuffietta sulla pelata, perché le servette stavano bene così. La macchinetta per i capelli ce l'aveva il Deregàt giù a Ombriaco.

Dei vestiti non si doveva dare pensiero, c'erano quelli della povera Teresìn morta di tisi due anni prima. La madre li aveva donati per i poveri della frazione e la Serpe, giustamente ritenendo di appartenere alla categoria, li aveva trattenuti. Con due nastrini, da andare a prendere alla merceria Pellegatta di Bellano, avrebbero fatto la loro porca figura.

Quindi, riassumendo: acqua da far bollire, macchinetta per tagliare i capelli, nastrini per sistemare i vestiti e un giorno solo per fare tutto.

«Cioè domani.»

«Ma domani è festa!» obiettò l'Arcadio.

«Per gli altri, mica per noi», ribatté la Serpe.

«Facciamo tutto oggi», insisté l'uomo.

E il resto chi lo faceva?, chiese la Serpe.

«El mè nono?»

Chi finiva di pulire il rettorato, di lucidare le stoviglie per tutti i preti e pretoni che il giorno seguente sarebbero saliti al santuario? Chi stirava la tonaca buona del signor rettore e tutte le cotte dei chierichetti che avrebbero preso parte alla commemorazione? Chi tirava a specchio il pavimento del santuario, chi lustrava la statua della Madonna piangente, chi metteva i fiori freschi sull'altare, chi distribuiva i libretti per i canti sui banchi e sulle sedie?

«Va bene, va bene...» interloquì l'Arcadio.

«E no!» si impose la Serpe.

Non andava mica bene, ce n'era ancora.

«Per te, neh!»

Perché, chi rastrellava il ghiaietto del piazzale del santuario per renderlo bello uniforme, chi strappava le erbacce, chi andava a pulire dai nidi la torre delle campane?

Chi, se non loro due?

O forse voleva lasciar stare in modo che il rettore, per comprovata incuria, li mandasse a quel paese così che addio fichi per tutti, Birce compresa?

L'Arcadio, sconfitto dalla facondia e dalle ragioni della moglie, chinò il capo. Ma quella aveva preso l'aere, non aveva ancora finito.

Circostanze eccezionali imponevano che, per la prima volta nella loro vita, il giorno della commemorazione del miracolo della Madonna, cui da quel giorno avrebbero aggiunto anche il loro, diventasse un giorno come gli altri, spiegò.

Significava che l'Arcadio doveva rinunciare al suo tradizionale pomeriggio del dì di festa che, da quando era scaccino del santuario, consisteva nel girare tra gli sconosciuti pellegrini del pomeriggio per elemosinare i soldi che andava subito dopo a spendere all'osteria del Dosso, dietro il santuario, ubriacandosi da fare vergogna in compagnia di festaioli al pari di lui.

Erano circa le quattro del pomeriggio quando l'Arcadio partì, rastrello in mano, alla volta del piazzale del santuario.

11.

Il pomeriggio seguente al loro primo incontro, Giuditta Carvasana ed Eusapia Palladino s'erano riviste. Con loro c'erano i rispettivi cavalieri.

Era stato il napoletano a chiedere un nuovo incontro, voleva a tutti i costi andarsene da Milano con in tasca la garanzia che il Cressogno accettasse di entrare nel suo progetto di spettacoli d'illusionismo da portare nei teatri di tutta Italia. Il Cressogno era tutt'altro che convinto. Se aveva accettato era solo perché, con quella scusa, avrebbe potuto poi avere la serata libera, e andarsene sul lago insieme con la Giuditta, varcare insieme con lei, per la prima volta, la soglia di villa Alba.

Nemmeno la Palladino era entusiasta del progetto e ne aveva validi motivi, che aveva esposto alla Carvasana nel corso di quel pomeriggio.

Se ancora non aveva mandato a quel paese il napoletano e le sue idee del piffero era in virtù del difficile momento che stava attraversando e che non era certo migliorato dopo quello che su di lei aveva scritto Eugenio Torelli Viollier sul «Corriere della Sera».

Parole al vetriolo.

«Nei miracoli dell'Eusapia non c'è nulla di sincero, assolutamente nulla, ché tutti sono l'effetto di una semplice ciurmeria.»

Alcuni di questi trucchetti li aveva anche descritti quel giornalista. Il mondo degli appassionati di spiritismo si era spaccato in due. E l'opinione pubblica, quella che non sapeva nemmeno dove lo spiritismo stesse di casa, si era levata unanime in un coro di condanna contro coloro che, come la Palladino, campavano sfruttando il dolore altrui, l'altrui credulità. Tra i pochi che le avevano fatto avere testimonianze di sostegno e di affetto, c'era stato Cesare Lombroso.

«Conoscete?» aveva chiesto la Palladino.

Giuditta aveva dovuto confessare la propria ignoranza.

«Mi dispiace», aveva detto. «Chi è?»

Il viso di Eusapia Palladino si era rilassato.

«Un uomo geniale», aveva risposto misteriosa.

Grazie alle intuizioni del quale il mondo, l'umanità che lo popolava, gettava la maschera, mostrandosi per quel che era.

12.

«Vi dirò le cose come stanno», disse il rettore.

Era la mattina del 6 agosto, le primissime ore dopo l'alba. L'aria era ancora intrisa del fresco notturno tuttavia già profumata dell'essenza d'agosto, del suo calore che rubava profumi alla terra.

Giuditta Carvasana era salita al santuario presto, come d'accordo con il rettore, avvertendo una singolare emozione come se, nonostante tutto, nonostante la sua perplessità verso miracoli ed eventi simili, in quella giornata ci fosse comunque qualcosa di speciale. E c'era davvero, perlomeno nella frenesia della gente che aveva incontrato durante la salita, gente di un popolo affaticato che si preparava a vivere quelle ore vestendo l'unico abito buono conservato nell'armadio di casa, indossato il giorno delle nozze e già pronto per quello del funerale, gente che per una volta relegava il lavoro al secondo posto nelle incombenze quotidiane.

Una volta giunta al santuario il rettore l'aveva fatta accomodare nel suo studio. Non poteva dedicarle il solito tempo, la giornata era densa di impegni. Era subito entrato in argomento, la ragazza che gli aveva chiesto come aiuto domestico.

«Si chiama Birce», disse.

«Strano nome», commentò la Carvasana.

«Non è solo quello a essere strano», aggiunse il rettore.

«È la ragazza?»

«Forse.»

Ma, forse, aggiunse il rettore, era l'ambiente in cui era cresciuta e viveva a esserlo. Un ambiente non confacente al suo carattere, al suo sentire.

«Non so se mi spiego.»

«Cerco di capire», disse la donna.

Ecco, proseguì il rettore, a volte capitano dei miracoli.

La Carvasana aggrottò appena la fronte.

«So che siete piuttosto scettica», disse il rettore.

Ma non intendeva quei miracoli che Santa Madre Chiesa riconosceva, come quello che avrebbero celebrato quel giorno.

«Piccole cose.»

Non le era mai capitato, passeggiando per le campagne, di vedere un meraviglioso giglio rosso in un prato?

Nessuno l'aveva seminato, eppure era cresciuto, il suo seme capitato lì chissà per quale motivo, portato dal vento. I contadini non osavano toccarlo quando falciavano l'erba, gli giravano intorno. Restava lì, fino a che moriva.

«La ragazza, Birce, mi fa questa impressione», affermò il rettore.

Qualcosa capitata lì per caso, in un ambiente che non era il suo. Ma se per un giglio rosso si poteva far finta di niente, per un essere umano non si poteva permettere che morisse di inedia o solitudine.

«Forse portarla via da qui può significare metterla sulla strada che il cielo le ha destinato.»

E il desiderio che la Carvasana gli aveva confessato, cioè avere vicino qualcuno cui poter trasmettere ciò che aveva imparato, in modo da aiutarlo a crescere nel mondo sapendosi difendere, poteva accordarsi con ciò che alla Birce mancava.

«Convincereste anche un sordo con le vostre parole», rispose la Carvasana.

Il rettore sorrise, soddisfatto per avere realizzato ciò che la Serpe aveva già dato per scontato.

«Sarebbe un vero miracolo, non credete?»

13.

Prima roba, giù a Bellano per i nastrini.

La Carvasana usciva dal rettorato, l'Arcadio partiva di gran carriera.

Anda e rianda, mi raccomando!

Così aveva ordinato la Serpe perché conosceva bene le abitudini del marito quando, per una questione o per l'altra, era costretta a scendere a Bellano.

Che non gli venisse neanche l'ombra dell'ombra dell'idea di fare tappa in una delle tantissime osterie che come stazioni del rosario si aprivano lungo il tragitto, perché altrimenti gli avrebbe strappato gli occhi.

L'Arcadio ubbidì, la Serpe teneva fede alle minacce. Magari gli occhi non glieli avrebbe strappati per davvero, ma capace che per un tempo difficile da calcolare si sarebbe rifiutata di preparargli il mangiare che gli piaceva di più, resumàda e nervìt compresi.

Fece la strada a passo di corsa scendendo e un po' meno di corsa ritornando alla base. Chiuse gli occhi passando e ripassando davanti agli ingressi dei trani nonostante l'ora quasi tutti già aperti, giurando a sé stesso di recuperare alla prima occasione l'offesa che gli sembrava di percepire per non essersi fermato a bagnare il becco. Giunto in casa entrò, trionfante: solo una poiana avrebbe potuto essere più rapida.

«Era ora!» lo fulminò invece la Serpe.

Impaziente lo stava aspettando con due secchi in mano. Nel frattempo aveva acceso il fuoco, adesso bisognava portare acqua. Nella cucina c'era un caldo africano. Grosse gocce di sudore imperlarono la fronte dell'uomo che tentò di sedersi.

«Cosa fai che non c'è tempo!» berciò la moglie.

L'Arcadio per tutta risposta bestemmiò.

«Amen», commentò la Serpe.

14.

Dall'età di dieci anni la Perseghèta non si era mai perduta una commemorazione del miracolo con annessa benedizione dei malati.

Mano nella mano alla madre fino a quindici e poi indipendente, con al braccio una fascia bianca che segnalava il personale di assistenza.

Dio se le piaceva!

Il giorno della festa spuntava sul piazzale del santuario insieme con l'alba.

Una vedetta.

Non si perdeva un particolare, registrava ogni cosa, memoria vivente, archivio dell'evento.

I malati, soprattutto, le piacevano.

Storpi, ulcerosi, zoppi, guerci o ciechi del tutto, magri o grassi, in barella, al braccio di qualcuno o con un bastone a sostenersi, pallidi, gialli o pletorici che sembravano sul punto di scoppiare, silenziosi, lamentosi, catarrosi, malvestiti tutti, odorosi di medicinale, sudore, di cibo e di muffe, alcuni francamente puzzolenti.

Era curiosa delle loro deformità.

Ogni scusa era buona per avvicinarsi a questo o quello e guardare meglio. Li conosceva quasi tutti ormai. Beccava gli assenti dall'anno precedente, morti. Dei presenti notava il peggiorare di volta in volta.

Figurarsi se a un occhio d'aquila come il suo poteva sfuggire l'anda e rianda dell'Arcadio.

Dopo quattro viaggi tra la fontana del santuario e casa sua, la Perseghèta non si trattenne.
«Cos'è», chiese, «brucia la casa?»
L'Arcadio era rosso in viso per la fatica e il caldo.
Fece per rispondere.
La voce che salì e sovrastò il brusio del piazzale che andava piano piano riempiendosi di fedeli, malati e curiosi non fu quella dell'uomo.
«Alòra?»
La Serpe, dalla porta di casa, con i capelli ritti in testa e i pugni ai fianchi.
L'Arcadio girò lo sguardo verso la moglie, quella levò in aria quattro dita.
Cosa voleva dire?
Quattro secchi o quattro viaggi ancora?
La Perseghèta rosicava dalla curiosità, cercò di provocare l'Arcadio.
«Padron comanda, caval trotta!»
L'uomo, punto nell'orgoglio, la guardò male.
Però aveva ragione.
«Ma va' a quel paese», mormorò allora.
Rivolto alla Perseghèta, alla Serpe, a tutte e due.

15.

Il paese, Bellano.

Nessuna delle due lo conosceva.

Giuditta Carvasana l'avrebbe fatto di lì a poche ore, al braccio del suo amante. Da quel momento in avanti, aveva detto alla medium, sarebbe diventato il centro della sua vita.

«E se verrete a trovarmi lo conoscerete anche voi», aveva poi aggiunto.

La Palladino aveva sospirato e aveva atteso prima di rispondere. In quel silenzio si era inserita la voce del Chiaia che stava recitando un monologo affatto coinvolgente a giudicare dallo sguardo perso nel vuoto del suo interlocutore: parole su parole nel tentativo di dimostrare l'eccellenza del suo progetto di portare in giro per teatri e teatrini Eusapia Palladino per stupire il pubblico con i suoi esperimenti di spiritismo.

«C'è il caso di fare denaro assai», aveva affermato.

Tra i tanti però, era proprio quello del denaro ad attrarre meno il Cressogno, che stava bene del suo e aveva tutt'altre idee circa gli spettacoli da ospitare nel suo teatro. Certo non quella di trasformare il suo palcoscenico in una qualunque pedana dove far esibire fenomeni da baraccone. La Palladino conosceva fin troppo bene i progetti che il napoletano aveva su di lei e se da una parte non li condivideva, dall'altra non sapeva come fare per liberarsi di quella specie di mentore tanto facondo quanto superficiale. Una zecca che le si era piantata nella carne senza nemmeno chiedere permesso e che rischiava di rovinarla del tutto se lei avesse ceduto ai suoi progetti. Purtroppo non stava attraversando un bel periodo e il Chiaia di quello voleva approfittare anche se non lo diceva con chiarezza. Lei camminava sul filo del rasoio e quello voleva spingerla a dirgli sì, commettendo quel passo falso che l'avrebbe fatta precipitare nel ridicolo in cui tanti volevano che annegasse.

Si era sentita di colpo triste, una tristezza che aveva provato solo da bambina quando il padre, rimasto vedovo, l'aveva affidata a una coppia di braccianti che l'avevano trattata con la stessa cura che riservavano alle loro bestie. Per distogliersi dall'ascoltare la voce del napoletano che parlava e parlava, Eusapia si era lasciata andare a un commento in cui era trasparsa una benevole invidia per la prospettiva di felicità che aspettava Giuditta Carvasana.

Giuditta non aveva saputo fare altro che reiterare l'invito.

«Verrò», aveva risposto infine la Palladino, «verrò a trovarvi.»

La serata si era conclusa senza che il Chiaia ottenesse il sospirato assenso del Cressogno, la sua adesione al progetto.

Le due donne si erano salutate con un abbraccio.

Nessuna delle due immaginava che sarebbero passati mesi prima del loro successivo incontro.

16.

Tappa successiva, la macchinetta del Deregàt che serviva a rapare la Birce.

Ma ormai era mezzogiorno.

«E allora?» chiese la Birce.

E allora, si vedeva che lei non conosceva le abitudini del Deregàt nei giorni di festa.

Ligio e severo come una quercia vecchia durante la settimana, quando si alzava primo fra tutti gli abitanti della frazione di Ombriaco e a sera capitava che la moglie mandasse a cercarlo, strappandolo al lavoro, uno dei quattro figli, il Deregàt nei dì di festa beveva tutto il vino cui rinunciava durante i giorni lavorativi e mangiava di conseguenza. Il pranzo di mezzogiorno in casa sua era un rito, guai interromperlo! Ci si sedeva a tavola quando diceva lui e altrettanto ci si alzava. Pieno come un otre di tutto, pur senza essere davvero ubriaco, il Deregàt dopo pranzo andava a dormire, anche lì recuperando tutte le ore di sonno che perdeva nei giorni in cui si alzava a buio e a buio andava a letto. Poi, una volta compiuto il sonnellino, si piazzava nell'atrio di casa sua e rapava tutti quelli che in un certo senso si erano prenotati. Qualcuno ci aveva provato a fare il furbo, a rompergli l'anima durante il pranzo oppure mentre dormiva e aveva assaggiato delle belle bastonate.

Non del Deregàt, neh!

Macché, lui non si alzava nemmeno dalla tavola e men che meno dal letto. Ci aveva pensato sua moglie, la Diletta, una che una volta era arrivata a Ombriaco per la fiera del bestiame con un allevatore di Gera e che era rimasta lì, lei e il bestiame in vendita, sposa del Deregàt.

Quindi, concluse l'Arcadio ormai senza fiato, visto l'orario conveniva mettersi a tavola e mangiare con comodo, proprio come faceva il Deregàt nei giorni di festa, magari metterci sopra anche un mezzo sonnellino, visto che si sentiva un po' stanco dopo tutto quel correre su e giù e poi andare a chiedergli in prestito la macchinetta.

«Macché mangiare e mangiare!» sbottò la Serpe.

Figurarsi se con tutto quello che aveva fatto e aveva ancora da fare aveva avuto tempo di preparare qualcosa.

«E allora?» chiese l'Arcadio.

Allora niente, rispose la Serpe.

Allora lui, gli spiegò subito dopo, le avrebbe fatto subito una bella cortesia. Che consisteva, anziché nello stare lì in mezzo alle balle a fare la bella statuina, nel ripartire rapido come una fucilata e mettersi di vedetta fuori dalla casa del Deregàt in modo che non appena fosse venuta libera la famosa macchinetta lui se la facesse consegnare e la portasse a casa.

«Ma...»

Nessun ma!

Inoltre, che tenesse ben presente quello che gli aveva già detto, cioè di stare alla larga dalle osterie, presenti in discreto numero anche in quel di Ombriaco tra pubbliche e private, e semmai gli servisse qualcosa per ingannare l'attesa sgranasse un bel rosario o anche due.

«È tutto chiaro?» chiese la Serpe.

Il tono non prevedeva risposte di alcun tipo.

«Ma va' a quel paese», mormorò l'uomo per la seconda volta in quella giornata, e stavolta proprio, solo per la Serpe.

17.

La Carvasana, dopo il colloquio con il rettore, era tornata a villa Alba nonostante il sacerdote l'avesse invitata a fermarsi per assistere alla funzione solenne e poi alla pomeridiana benedizione dei malati. Non aveva osato confessare che temeva di turbare la lievità che sentiva nell'animo da quando era approdata sulle rive del lago con le immagini devastanti di ciò che la malattia poteva fare a un essere umano.

Tuttavia quel pensiero si era insinuato nella sua mente e l'aveva accompagnata lungo tutta la discesa e ancora dopo quando, entrata in casa e sedutasi su un terrazzino a godere la vista del lago, non aveva potuto evitare di pensare a sé, al tempo che scorreva, alla sua condizione.

Non era la prima volta che qualche apprensione circa il futuro la assaliva. L'antidoto a quelle malinconie era sempre stato la sua cameriera, le chiacchiere con lei, la garanzia che, male che fossero andate le cose, loro due non si sarebbero mai separate. E aveva anche riso più volte sul fatto che sarebbero divenute l'una il bastone per la vecchiaia dell'altra.

Adesso invece era sola, senza la possibilità di deviare pensieri di vecchiaia, malattia e abbandono con la medicina di una bella risata.

Il lago, calmo, da cui esalava un profumo ineffabile la stimolava verso pensieri di eternità e di luce.

Ma ormai sapeva anche lei quanto fosse illusoria quell'immagine.

Dopo aver esitato a lungo, convinta infine dal Cressogno, s'era decisa un pomeriggio a fare il bagno e aveva preso atto di come quell'acqua così limpida, chiara in superficie diveniva scura e impenetrabile se appena si scendeva. Aveva visto coi suoi occhi un buio inquieto che le era sembrato polveroso, decisamente ostile e freddo.

Era risalita da quel primo e unico bagno nelle acque del lago con il proposito di non farlo mai più e un sentimento di disagio per quell'immagine, che sino ad allora aveva trattenuto come se fosse un acquerello, rovinata per sempre.

Adesso le tornava in mente e con essa i sogni creduti dimenticati, quelli che aveva fatto nelle notti successive. Sogni di morte, di sconosciuti esseri umani che le si presentavano spellandosi con le proprie mani per mostrare ciò che c'era sotto la copertura della pelle, sorta di finzione o bugia per nascondere una realtà sconvolgente.

La passeggiata l'aveva stancata.

Il sole che ormai illuminava l'intero lago aveva raggiunto anche il terrazzino dove si era seduta. Chiuse gli occhi come per assaporarne meglio il calore e poco dopo si addormentò.

Si svegliò verso metà pomeriggio, si sentiva il viso scottare.

Realizzò di non aver pranzato ma, anche, di non avere alcun appetito.

18.

Metà pomeriggio.

Per la precisione le quattro, appena suonate al campanile della chiesa di Ombriaco.

Le quattro e una fame della madonna, all'Arcadio sembrava di avere una combriccola di rane nello stomaco e le marionette del teatro nero davanti agli occhi.

Andando per ordine, prima la fame.

Quando si era piazzato nel cortiletto di casa del Deregàt, l'Arcadio aveva già un discreto appetito e l'uomo della macchinetta aveva già cominciato il suo sonno pomeridiano. Alla Diletta, che stava sparecchiando, aveva fatto la richiesta per la quale era lì.

Nessun problema.

Ma, prima di tutto, il marito doveva completare la digestione e in secondo luogo doveva rasare sette cespugli che si erano prenotati.

L'Arcadio si era detto disposto ad aspettare il tempo che ci voleva, anche perché tornare a casa senza la macchinetta avrebbe significato scatenare una guerra senza quartiere. Nel frattempo, mentre parlava e guardava la Diletta che stava sparecchiando, il suo appetito era andato aumentando, stuzzicato dagli avanzi di pollo e coniglio, ossa perlopiù, ripulite con attenzione chirurgica, sui quali si sarebbe gettato, certo che comunque qualche boccone sarebbe riuscito a ricavarne.

La Diletta addirittura gli aveva chiesto se per caso volesse qualcosa, magari una fettina di miàscia. L'Arcadio, per dignità, aveva risposto no, passandosi anche una mano sulla pancia per significare che era già pieno del suo.

Aria, che aveva scorreggiato fuori con discrezione, nella piccola corte davanti alla casa del Deregàt mentre i clienti piano piano giungevano prendendo posto e attendendo.

Otto, mica sette come aveva detto la Diletta.

Va be', uno più uno meno...

Nove, disse il Deregàt quando si presentò con una faccia ancora imbambolata di sonno e rutti odorosi del guazzetto di coniglio.

Nove perché di uno si era dimenticato di dirlo alla moglie.

Poi salutò con vivo piacere l'Arcadio.

Non gli capitava tanto spesso infatti di vedere uno che veniva da un altro posto ed era sempre curioso di sentire se c'era qualche novità.

L'Arcadio a quel punto era imbesuito dalla fame e dal caldo che si era accumulato nel cortiletto chiuso e privo di correnti d'aria. Aveva addosso anche una specie di sonnolenza che gli rendeva faticoso parlare, così che lasciò campo libero al Deregàt il quale, non avendo altri argomenti al di là dell'andamento del tempo e della campagna, si mise a elencare la lunga serie di piatti che aveva degustato qualche ora prima. Parlava come se li stesse ancora assaporando, senza degnare di un occhio i crani che, via uno l'altro, finivano sotto le sue mani, abili per il gran numero di pecore che aveva tosato in vita.

Quando al campanile della chiesa suonarono le cinque, il Deregàt rapò l'ultima zucca.

«Pronta la macchinetta», disse tendendola all'ospite.

Stanco, assonnato, affamato e sudato, l'Arcadio la prese e si avviò alla volta di casa con il preciso intento di consegnarla alla moglie e sbattersi sul letto mandando tutti quanti, Serpe, Birce, Perseghèta, rettore e malati, a quel paese.

E ad alta voce questa volta!

19.

Lo sguardo di Giuditta Carvasana percorse la luce di quell'ora del pomeriggio, il paesaggio che aveva sotto gli occhi, e avvertì che al suo interno, nonostante la bellezza, mancava qualcosa. Era un mondo zoppo quello che stava guardando e sapeva perché, mancavano le parole, le voci.

C'era poco da fare, però, per il momento.

In mancanza d'altro, quindi...

Entrò in casa e si diresse verso la sala di lettura.

Il grammofono, uno dei tanti regali che il Cressogno le aveva fatto trovare al suo ingresso in quel posto, stava su un tavolino di legno. Lo abbracciò come se fosse il suo amante prima di scoprirlo.

«Ti farà compagnia in mia assenza», le aveva detto lui mostrandoglielo.

Sulla musica da ascoltare non ebbe esitazioni, *Le Villi*, la prima opera cui aveva assistito insieme con lui.

Avviò il grammofono e si mise alla finestra.

Così, con la musica di Puccini, con quell'armonia che nasceva alle sue spalle il paesaggio adesso sembrava completarsi, e la Carvasana poteva guardarlo senza più il velo di malinconia e trepidazione, sorta di filtro che aveva avuto davanti agli occhi sino a poco prima.

Sorrise anche un poco, di sé.

Via, lo sapevano anche i bambini che l'intero creato ci sarebbe sopravvissuto. Non era una buona ragione per stare lì a guardarlo e piangersi addosso così come era stata lì per fare.

La gioventù, gli anni belli, l'amore e la fortuna erano fatti per essere goduti. Per pensare alla fine ci sarebbe stato tempo.

«Scuotersi», disse tra sé.

E tanto per dare subito seguito al suo proposito, salì al piano di sopra e aprì la finestra della camera da letto della fedele cameriera, destinata pro tempore alla Birce, che da troppi giorni stava chiusa nel buio e nella polvere, dando alimento, la Carvasana ne era più che convinta, anche ai cattivi pensieri.

Come aveva detto il rettore, che quella ragazza era un po' strana?

Era un bene, rifletté Giuditta. L'avrebbe tenuta impegnata, avrebbe dovuto guidarla, insegnarle cose che non sapeva, educarla a vedere un'altra vita oltre a quella che conosceva.

Doveva farle da guida?

Sarebbe stato un diversivo e avrebbe tenuto alla larga i cattivi pensieri. A quella prospettiva si sentì più leggera ed ebbe voglia di cantare seguendo le arie dell'opera che salivano fino al secondo piano della villa.

Partì sparata, senza vergogna, immaginando di essere in un teatro davanti a una platea in silenziosa ammirazione.

Allora dirgli potrei
Io penso sempre a te
Ripeter gli vorrei
Non ti scordar di me.

20.

Ecco le donne com'erano, ecco com'era la Serpe!

L'Arcadio, consegnata la macchinetta, aveva dichiarato di essere stanco come un somaro e di desiderare soltanto di buttarsi sul letto.

Neanche più fame aveva!

E quella, la Serpe: «Va bene, va' pure».

Ma come?, aveva pensato l'Arcadio.

Tutto lì?

Dico io, si trattava così un uomo che aveva fatto la trottola fin dalle prime ore dell'alba e aveva anche saltato il pranzo?

La SIGNORA! non aveva più bisogno di lui e lo congedava, via, fuori dai piedi, andasse a dormire o a impiccarsi per lei non cambiava niente!

Ma anche un manico di scopa veniva trattato con più riguardo!, ragionava l'Arcadio, steso per davvero sul letto, ma senza sonno e forse senza nemmeno più un poco della stanchezza dichiarata per via del nervoso che gli aveva fatto venire la Serpe.

Si girava su un fianco, e sentiva i colpi della macchinetta che pian piano stava pelando la zucca della Birce. Si girava sull'altro e sentiva i rumori e i bisbigli degli ultimi ammalati e accompagnatori che, finita la cerimonia delle benedizioni, si preparavano a riprendere la strada di casa.

Nell'un caso e nell'altro erano cose che rinfocolavano il nervoso, considerando che in fin dei conti una giornata come quella, nella quale avrebbe potuto bere mangiare e riposare a volontà, era stata pari a tante altre di lavoro, se non peggio.

Girati di qua, girati di là...

Girati ancora di là?

Ma... cos'era quello che sentiva?

Un coro?

Possibile che stanchezza, fame e rabbia alleate lo stessero prendendo in giro?

Eppure, eppure...

Si mise a sedere sul letto, il naso all'aria pari a un cane che avesse annusato la lepre e difatti annusò, l'Arcadio, come se udisse grazie alle narici.

Per essere un coro lo era.

Non solo.

Sgangherato coro, e infine lo riconobbe.

I suoi soci!

Se avevano avviato il coro, significava che non erano ancora finiti sotto il tavolo. Forse era ancora in tempo per raggiungerli e con un po' di buona volontà mettersi in pari con loro.

«A quel paese!» disse infine ad alta voce scendendo dal letto.

Ci avrebbe scommesso che la sua uscita di casa non sarebbe stata quasi notata dalla Serpe, né che avrebbe dovuto rispondere alla domanda su dove fosse diretto.

Così fu.

Uscì e a passi lunghi, farciti di rinnovata energia, raggiunse i soci e l'osteria del Dòs.

21.

Era sera ormai, buio.

Il rettore uscì sul piazzale del santuario.

Stanco ma felice per come era scivolata la giornata, canticchiava anche lui.

«Veni creator spiritus...»

Era un canto che gli infondeva pace, dandogli il senso della missione che aveva scelto per la vita.

Sotto il cielo stellato di quella notte gli pareva che nessun'altra parola potesse esprimere meglio ciò che sentiva, ciò che vedeva nelle cose del mondo.

«Accende lumen sensibus, infunde amorem cordibus...»

La meraviglia del creato, così semplice e allo stesso tempo così misteriosa, aveva una pazienza infinita, una sorta di silenzioso invito a non credere sempre e solo a ciò che i nostri occhi vedevano ma ad andare oltre, dando al tempo il tempo di rivelarsi.

Non erano certo parole facili per chi, come tutti i malati che gli erano sfilati sotto gli occhi quel pomeriggio, pativa i dolori del corpo e della mente.

«Mentes tuorum visita», canticchiò il rettore.

Anche la mia, aggiunse.

E allontana il dubbio.

«Hostes repellas longius pacemque dones protinus.»

Si guardò intorno, le case ormai buie dove, di lì a poche ore, la vita sarebbe ripresa come al solito, con le quotidiane fatiche e gli affanni ben noti.

Una finestra era ancora illuminata. Ne riconobbe subito la casa, quella dell'Arcadio e della Serpe. Si avviò col proposito di chiudere la sua giornata con l'ultimo impegno assunto da assolvere: dire alla Serpe che se lei e il marito non avevano nulla in contrario la Birce aveva la possibilità di seguire il destino delle sue sorelle: la differenza stava nel fatto che andava a capitare in ben altra casa, non sarebbe stata una serva qualunque, piuttosto una dama di compagnia.

La Serpe era nella cucina che, insieme con altri due locali di piccole dimensioni, componeva l'intera casa. Era seduta, lo sguardo fisso o perso nel vuoto. Stanca evidentemente per la lunga giornata, non si alzò nemmeno all'ingresso del rettore.

«Tutto bene?» chiese questi.

La Serpe lo rassicurò.

«Sono venuto per dire...» attaccò il rettore.

La Serpe sapeva già cosa, ma tacque e ascoltò.

«Quindi», concluse il rettore, «se voi siete d'accordo...»

«Siamo d'accordo», rispose in fretta la donna.

«Bene. E per quando sarà pronta?» chiese il rettore.

«È pronta», sfuggì alla Serpe. «Cioè...» corse subito ai ripari.

Lo sarebbe stata quanto prima.

«Adesso dorme», aggiunse, «ma per domani, senz'altro.»

«Me ne rallegro», fece il rettore.

Ma l'Arcadio, il suo parere...

«E vostro marito?» chiese il rettore.

«Anche lui dorme», mentì la Serpe.

Bugia a metà.

A quell'ora l'Arcadio dormiva senz'altro.

Dove, però, non avrebbe potuto dirlo. Con certezza, non nel letto di casa.

22.

La mattina del 7 agosto 1893 la Birce non si riconobbe davanti al frammento di specchio che suo padre utilizzava per farsi la barba una volta alla settimana.

Si era alzata come al solito che appena albeggiava per uscire e andare ad aprire il pollaio quando la Serpe l'aveva bloccata.

Disgraziata, cosa voleva fare, dove voleva andare?

Possibile che si fosse dimenticata di quello che le aveva detto il giorno prima, che da quella mattina la sua vita cambiava e poteva cambiare per sempre?

Signore benedetto!

Un quintale di legna per scaldare l'acqua grazie alla quale le avevano restituito la stessa pelle con cui era nata, la sfacchinata di suo padre per la macchinetta con la quale avevano sloggiato capelli e pidocchi, soldi per i nastrini perché quel cornuto del merciaio non accettava baratti...

E adesso pretendeva di andare nel pollaio a pestare merde di gallina?

«Ma guardati cosa sei diventata!»

La Birce obbedì, lo fece e non si riconobbe. Si passò una mano sulla voglia, di un tenue celeste come tutte le mattine.

Cosa doveva fare allora?

Niente.

Stare seduta.

Aspettare che venisse l'ora buona per andare a casa della signora.

«Da sola?» chiese la ragazza.

Dai confini della frazione non era mai uscita, Bellano, il capoluogo, l'aveva sempre visto dall'alto, dall'ampia terrazza del santuario.

«No», rispose la Serpe.

Per quella volta l'avrebbe accompagnata lei perché l'Arcadio non era comparso nel suo letto quella notte. Dai e dai, era riuscito a raggiungere i suoi soci in tempo utile per annegarsi nel vino, dopo tanta acqua che aveva portato, capirai!

Esaurito lo scambio di battute, tra madre e figlia scese il silenzio.

Lo ruppe il campanile del santuario. Al sentire le campane, la Serpe decise.

«Andiamo, è ora», disse.

Erano le otto del mattino.

23.

7, 8 agosto, due conferenze.

Due date infami, visto il periodo, in due città altrettanto infami stante la stagione.

Ma per il quieto vivere di tutti era meglio così. Pochi avrebbero assistito e come probabile tutti fedelissimi.

Per quella ragione Cesare Lombroso aveva deciso di accettare i due inviti e di lasciare Torino per un breve tour che l'avrebbe portato a Pavia e quindi a Milano.

Due conferenze per cominciare a fare chiarezza nella bufera che, scatenata da gran parte del mondo accademico torinese, si era levata attorno a lui dal momento in cui era uscita la ristampa di *Genio e follia.*

Mai prima come in quel periodo, l'alienista era stato bersagliato dalle accuse più corrosive: poteva accettare di tutto, tranne il sentirsi dire che le sue teorie, i suoi metodi fossero parascientifici e lui una sorta di grottesca macchietta dello scienziato pazzo.

La figlia Gina gli aveva preparato la valigia, ben sapendo quanto il padre fosse propenso a dimenticare le necessità quotidiane.

Pragmatica, oltre che precisa, gli chiese per l'ennesima volta se fosse davvero intenzionato a interpellare la Palladino per coinvolgerla in almeno una delle sue conferenze a sostegno delle sue teorie.

«Se sapessi dov'è finita...» rispose l'uomo.

Gina scosse la testa.

Non le sembrava una buona mossa, considerata l'aria

che tirava. Era come mettere una pistola, carica per giunta, in mano ai nemici di suo padre che già avevano usato la medium per svillaneggiarlo, quando, nel luglio 1888, già in polemica con il mondo accademico, Lombroso aveva scritto un articolo sul «Fanfulla della Domenica» in cui se la prendeva con tutti coloro, sedicenti uomini di scienza, che si opponevano ottusamente alle intuizioni altrui, alle novità, al confronto.

«Chi sa che io e i miei amici, che ridiamo dello spiritismo, non siamo in errore», aveva scritto.

Era stato il pretesto per una serie di attacchi e di dileggi nei suoi confronti, accusandolo allora per la prima volta di seguire bizzarre e irrazionali forme d'indagine. Ma anche l'amo cui aveva abboccato il napoletano dottor Ercole Chiaia, che già aveva per le mani la Palladino.

Appassionato di spiritismo, il Chiaia. E sinceramente convinto che dietro certe manifestazioni allo stato inspiegabili si celasse qualcosa di più di un'abilità prestidigitatoria. Meno interessato a comprendere fino in fondo il fenomeno invece il nipote Massimino, che aveva sviluppato altre idee. Buono o no che fosse, lo spiritismo intrigava la gente e magari con qualche trucchetto certi spiriti dell'aldilà, poco propensi a scambiare quattro chiacchiere con l'aldiqua, si sarebbero potuti convincere. Se poi, alla fine, il mondo accademico ci metteva sopra il suo imprimatur, rischiava di diventare l'affare del secolo.

Ercole Chiaia aveva scritto a Lombroso.

Gli aveva parlato di una «donnicciola d'infima classe sociale... i cui precedenti è inutile riandare perché troppo volgari», dotata però, a suo giudizio, «di quella forza che i criminalisti moderni direbbero irresistibile».

L'aveva sfidato per lettera.

Tenesse fede alla «magistrale frase» che aveva scritto sul «Fanfulla».

Che andasse da lui, a Napoli, scegliesse da sé luoghi, tempi e modi dell'esperimento per mettere alla prova la donnicciola «su la trentina, robusta, analfabeta... che non ha nulla di notevole tranne le pupille di uno scintillio fascinatore».

Gliel'avrebbe consegnata nuda come mamma l'aveva fatta.

Proprio così, nuda dalla cima dei capelli alla punta dei piedi, per evitare che potesse nascondere sotto la gonna chissà che attrezzi da utilizzare per trucchi di vario genere.

Lombroso aveva accettato la sfida ma a Napoli s'era recato solo mesi dopo, approfittando di un giro di ispezione nei manicomi del Regno.

La prima seduta, tenutasi presso l'Hôtel de Genève, alla presenza, purtroppo, anche del Massimino, aveva convinto l'alienista che la Palladino, fatta rivestire ché biotta non era un gran bel vedere, aveva davvero delle qualità soprannaturali.

Chi altri, se non lei, aveva fatto sì che un grosso tendone presente nel locale dell'esperimento si muovesse verso di lui e lo avvolgesse stringendolo?

E tutto avvenuto in piena luce?

Convinto da subito di aver a che fare con una persona che gli avrebbe permesso di progredire nei suoi studi, Cesare Lombroso aveva sottoposto la Palladino ai suoi soliti esami, misurandola per bene, valutando tutti i suoi parametri di peso e altezza, battiti e pressione e notando in particolare una fossetta che la donna aveva sulla volta cranica, esito di una caduta di cui era stata vittima poco prima di compiere un anno di vita, quando era stata affidata ai bifolchi per i quali contava meno di una gallina.

Ecco, adesso avere a disposizione quella donna gli avrebbe fatto proprio comodo.

Parole e fatti.

Le sue parole, il racconto delle sue esperienze o magari anche una bella dimostrazione da parte della Palladino, una bella seduta spiritica, o spiritosa, come alcuni dei suoi detrattori la chiamavano, fatta coram populo!

Ma dov'era finita la Palladino?

Due soli potevano sapere dove diavolo fosse, il napoletano Ercole Chiaia oppure il nipote di quello, il Massimino.

«Mandiamo un bel telegramma a ciascuno dei due», disse Lombroso alla figlia Gina, «dicendo loro che ho bisogno urgente di parlare con lei.»

Gina Lombroso, obbediente, tacque.

Quando suo padre partiva così in tromba per la tangente c'era poco da fare, peggior sordo di lui non c'era in tutto l'orbe terracqueo.

24.

Quella mattina il pescatore Minutoli riferì che le finestre della cameriera erano state riaperte.

Era tornata la mora?

Boh!

Lui non aveva visto niente. Era bastato un momento di distrazione, un attimo prima erano chiuse, un attimo dopo erano belle che spalancate.

Era stata Giuditta Carvasana ad aprirle per dare aria alla stanza che ormai non respirava più da oltre otto giorni.

Aria, che cominciava a scarseggiare nei polmoni della Serpe per via della lunga serie di raccomandazioni e consigli che aveva dato alla figlia strada facendo.

Uno su tutti, lo stesso che aveva dato ad Astasia e Veritiera quando erano andate serve di là del lago: doveva essere muta, cieca e sorda.

Le case dei signori erano un altro mondo dentro il quale quelle come lei dovevano camminare in punta di piedi, esserci e allo stesso tempo non esserci.

«Hai capito?»

Avrebbe visto, toccato, sentito cose che potevano stare in quel mondo, e solo in quello.

Guai illudersi che un giorno, anche lei...

Inutile mettersi in testa storie che erano vere solo nelle favole...

«Mi sono spiegata?»

Da lì la necessità di far finta di niente.

In poche parole essere sorda, cieca e muta.

Muta pure la Serpe quando, superato il cimitero, avvertì un cambio di atmosfera.
Più calda, altri odori, altri rumori nell'aria.
Era l'aria del capoluogo. Niente a che vedere con quella della frazione.
Un'aria che intimidiva.
Sempre così, quando entrava nel territorio di Bellano. Le occhiate della gente le sembravano domande: cosa ci faceva lì?
Quella mattina poi, con la Birce che la seguiva come una capretta...
Per fortuna villa Alba era decentrata, stava fuori, verso Varenna, poco prima della galleria delle Tre Madonne. A un centinaio di metri, in vista della villa, la Serpe si fermò.
«Adesso vai», disse alla figlia.
La Birce pronunciò le prime parole da che erano partite.
«Tu non vieni?»
No, non poteva, c'erano le galline da sistemare.
«Le galline?» fece la Birce.
Certo.
Nessuno le aveva ancora lasciate libere quella mattina. Né si poteva sperare che lo facesse l'Arcadio.
Voleva forse che, stando al chiuso, si mangiassero le uova che avevano appena deposto?
La Birce scosse la testa: no, non voleva.
La Serpe quindi si avviò.
La Birce pure ma, fatti due passi, si girò.
Sua madre era già sparita.

25.

«Papà bisogno urgente Palladino – Dove est interrogativo Saluti – Gina Lombroso.»

Spediti i telegrammi ai due Chiaia, Ercole e Massimino, la Gina prese la via dell'ateneo torinese.

L'Ottolenghi.

Quando suo padre entrava in quella dimensione, in quella specie di bolla dove abitava lui solo, dove contavano solo i suoi pensieri, le sue parole, le sue decisioni, Salvatore Ottolenghi, assistente di Cesare Lombroso alla cattedra di antropologia e psichiatria, era l'unica persona cui poteva rivolgersi con la certezza di essere ascoltata.

Non solo.

Anche capita.

Perché l'Ottolenghi era più simile a lei, più pragmatico.

Laureato in medicina e chirurgia, appassionato di oculistica, vivamente apprezzato per la serietà dell'impegno e per la scrupolosa professionalità, Salvatore Ottolenghi era entrato nella sfera di Cesare Lombroso per volontà dello stesso alienista quando questi gli aveva proposto di dedicarsi all'antropologia e alla psichiatria, nominandolo poi, nel 1885, suo assistente presso la cattedra dell'ateneo torinese. Da allora l'Ottolenghi aveva strettamente collaborato con Lombroso, approfondendo studi avviati da fisionomisti, degenerazionisti e alienisti, volti a documentare le possibili corrispondenze morfologiche con quadri clinici di varia natura.

Entrare nella sfera di interessi scientifici di Lombroso aveva significato entrare inevitabilmente anche nella sua sfera familiare. In contatto e confidenza con Gina Lombroso soprattutto, che del padre era una sorta di angelo custode. Tra i due si era sviluppata un'intesa fatta di poche parole. Sguardi perlopiù, che a volte sfioravano un non detto, un imbarazzo che inducevano sia l'uno sia l'altra a riprendere subito l'argomento o il lavoro in corso, cassando ogni altra cosa. Così facendo l'intesa tra i due non aveva mai avuto ombre, anche perché entrambi mettevano in ciò che facevano una prudenza che spesso difettava a Cesare Lombroso.

Anche in occasione di quel paio di conferenze che il padre aveva accettato, la Gina sentiva di aver ragione.

Con ancora vivissimo il can can che si era sollevato dopo la ristampa di *Genio e follia*, attualissime le corrosive, violente, addirittura cattive reazioni suscitate dal testo, le sembrava del tutto inopportuno che suo padre si esponesse a nuove facili ironie, quando non peggio, del mondo accademico, facendosi mentore pubblicamente della Palladino. C'era il rischio di giocarsi pure gli alleati che l'avevano sempre difeso, a maggior ragione se l'Eusapia fosse stata presente e magari avesse dato prova della sua scarsa cultura, come già in più di un'occasione le era capitato.

Perché suo padre non voleva capire quella semplice verità?

Perché voleva offrire il fianco a nuove polemiche che avrebbero potuto distruggerlo facendolo passare per quello che i suoi nemici volevano, cioè un banale ricercatore di corrispondenze tra aspetto fisico, eventuali anomalie anatomiche e manifestazioni del carattere, anche criminale?

La giornata era calda, quei pensieri contribuivano a farle percepire ancora di più l'afa che pesava nell'aria.

Davanti al portone dell'ateneo si fermò.

Quante volte aveva già discusso con l'Ottolenghi dell'ottusità di suo padre quando imboccava certe strade?
E quante volte l'Ottolenghi le aveva risposto che non c'era niente da fare, se non lasciargli sbattere la testa sperando che non si facesse troppo male?
Non l'avrebbe mandata a quel paese se per l'ennesima volta andava a importunarlo con quegli argomenti?
In ogni caso, mentre si faceva questa serie di domande la Gina era già entrata nell'atrio.
Salì le scale che portavano allo studio dell'Ottolenghi.
Ma non c'era.
Era giù, sotto, le disse un custode, nell'obitorio.

26.

Quando Giuditta Carvasana se la vide davanti restò senza parole.

«Birce?» chiese poi, sperando che la ragazza lì sul portone di villa Alba rispondesse no, che aveva sbagliato, un errore.

Quella invece confermò con un cenno del capo.

Il pensiero della Carvasana allora corse al rettore del santuario, alla fiducia che da tempo aveva riposto in lui. Insomma, di sé gli aveva raccontato tutto, sino a esplicitare la sua condizione di amante, o mantenuta secondo le malelingue, e le tribolazioni dell'animo che erano conseguite a quella situazione. Il rettore, anziché imboccare la via di inutili predicozzi come tanti altri avrebbero fatto, aveva manifestato comprensione, dimostrando di sapere come nella vita di uomini e donne non tutto poteva essere o bianco o nero.

Fiducia, quindi.

Si era fidata nel chiedergli l'indicazione per un aiuto domestico.

«Lasciate fare a me», aveva risposto lui.

Non che non l'avesse avvisata della... particolarità della giovane che aveva in mente di inviarle, qualche dettaglio, qualche indizio glielo aveva fornito. Adesso però, vedendo l'essere che aveva sotto gli occhi, si chiese come gli fosse venuto in mente di mandarle un personaggio siffatto.

Una cuffietta calata fin quasi sopra gli occhi e uno sguardo impallato.

Sul viso, a sinistra, una voglia che sembrava un omino che giocava alla palla.

Vestita con abiti d'altri e d'altri tempi, tirati malamente a misura grazie all'uso grottesco di un po' di nastrini.

E un odore... un odore...

La Carvasana annusò.

Di piscia.

Piscia di gatto, o di topo. Merito senza dubbio di quegli straccetti che aveva addosso, saltati fuori da una soffitta, o da una bara.

La Carvasana scosse la testa.

Rettore, rettore...

Intanto la Birce era sempre ferma, davanti a lei.

Un sasso, una statua.

Forse aspettava una sua parola, un invito.

«Su, entra», disse Giuditta.

E la ragazza mosse un paio di passi esitanti che la portarono nell'atrio della villa.

«Tranquilla», la esortò la Carvasana.

Ma a non sentirsi tanto tranquilla toccò a lei.

Fatti quei pochi passi, ancora nello spazio dell'antiporta, la Birce si bloccò.

Giuditta non si era ancora mossa, era appena alle spalle della nuova arrivata.

«Cosa c'è?» chiese.

Birce allora girò un poco il capo verso di lei. Aveva gli occhi azzurri, lo sguardo limpido, luminoso, difficile da sostenere.

Era lo sguardo dei folli, rifletté la padrona di casa.

«Niente», rispose la Birce.

Lentamente, come se parlasse ad altri, o a qualcuno che non era lì in quel momento.

Niente?

Non era vero.

La Carvasana lo intuì, avvertì una sensazione di allarme.

27.

Prudente, l'Ottolenghi.
Ma non meno ambizioso del suo maestro Cesare Lombroso.
Da tempo andava ragionando sulla possibilità di applicare certi metodi scientifici alle indagini di polizia. Perlopiù taceva però, teneva per sé le sue idee. Aspettava che il momento fosse maturo. E, a giudicare dalle polemiche che avvelenavano l'aria del mondo accademico in quei giorni, quel momento era ancora di là da venire.
Qualche confidenza l'aveva spesa con la Gina, con la quale di tanto in tanto si apriva, per condividere entusiasmi e riserve sui metodi usati dal maestro.
Era convinto, come il suo illustre mentore, che i principi galileiani fossero i soli utili per fondare una nuova cognizione della psichiatria.
Ma, appunto, il mondo non era ancora preparato a recepire concetti così rivoluzionari.
La Gina stava in mezzo.
Era votata al genitore.
Per questo cercava di proteggerlo quando la sua esuberanza lo portava ad agire a testa bassa, esponendo il fianco ai facili attacchi dei suoi avversari.
Quella della Palladino per esempio, che suo padre voleva avere con sé a tutti i costi a Pavia e poi a Milano: poteva diventare una mossa che si sarebbe ritorta contro di lui, facendone la macchietta o l'esaltato che molti ritenevano fosse.

Non le era riuscito di convincerlo a desistere.

Aveva obbedito alla sua volontà anzi, aveva spedito i due telegrammi. Ma andando avanti su quella strada non vedeva altro che disastri.

Un alleato come l'Ottolenghi era fondamentale a questo punto. Doveva uscire allo scoperto, parlare chiaro con suo padre.

28.

L'Arcadio si svegliò ma non aprì subito gli occhi. Era slozzo di umidità. In testa aveva un coro di vespe. La sera prima aveva compiuto un'impresa. Raggiunti i soci in piena sobrietà, si era messo in pari con loro bruciando le tappe. Una volta uscito dall'osteria, cercando la via di casa era andato a sbattere contro il muro dell'abside del santuario. Aveva chiesto scusa, era tornato sui suoi passi, si era appoggiato a uno dei platani che svettavano nel prato e si era addormentato. Dormendo era scivolato a terra.

Aprì gli occhi infine.

Agitò la mano, come se nel suo campo visivo ci fossero delle mosche. Oppure lo colse un'altra idea: che quei pallini che vedeva fossero i rintocchi del campanile che avevano preso forma fisica.

Li contò.

Dieci.

La Serpe sbucò arrancando dalla scalinata che portava al piazzale del santuario.

Non fu nemmeno sfiorata dal pensiero di entrare in casa né da quello che il marito nel frattempo si fosse dato da fare.

Filò diretta alla volta del pollaio, il pensiero fisso alle galline.

Stupide, egoiste, peggio dei gatti!

Capaci che non vedendo arrivare nessuno col solito pastone e poi aprire la porta per farle uscire a razzolare nel prato del santuario, si sarebbero arrangiate succhiando davvero le loro stesse uova o magari beccandosi il sedere l'un l'altra per ciucciare il sangue.

Chi andava a raccontargliela al rettore, dopo?

E le lingue delle Venerande, eh, chi le sentiva?

La Serpe sapeva benissimo che lei e l'Arcadio stavano camminando da un po' sul filo del rasoio. Equilibrio più che precario, una scuffia di vento e il disastro era bello e fatto. Ci voleva niente a scatenare le proteste delle Venerande, di alcune di loro soprattutto, una in particolare, la Perseghèta, quella cui avevano fregato il posto con il decisivo intervento del rettore che era stato il vero ago della bilancia.

La Serpe entrò nel pollaio. La puzza era soffocante. Le galline sembravano a passeggio.

«Sciò!» disse la donna.

Il prato del santuario le aspettava come al solito.

Non si mossero.

Strano.

Di solito, una volta aperta la sgangherata porta di legno, era una gara a chi usciva per prima.

Si avviò la Serpe allora.

«Pio, pio...»

Niente da fare.

«Cosa diavolo avete, si può sapere?» sbottò la donna. «Avanti, su!»

Niente.

Ma che demonio...

Che fossero già sazie?

Magari mangiando le uova deposte?

Con un paio di calci la Serpe ne spostò qualcuna e corse nell'angolo dove cagavano le uova.

La puzza lì era più ammorbante che mai, faceva lacrimare gli occhi.

Nonostante ciò, nonostante l'umidore che le appannava la vista, la Serpe vide che di uova non c'era nemmeno l'ombra, neanche i gusci rotti.

«Madona de Lèscen!» esclamò.

Quelle schifose non ne avevano deposta nemmeno una!

Peggio di così non potevano fare quelle bastarde!

Pazienza se le avessero mangiate.

Così invece...

Se fossero andate avanti a quel modo per giorni e giorni?

Era un guaio, un guaio grosso, pensò la Serpe imboccando l'uscita prima che la puzza del pollaio la facesse stramazzare a terra.

29.

Tre scalini e Gina Lombroso cominciò ad avvertire il plin plin del rubinetto che perdeva. Era la cosa che aveva notato subito quando era entrata per la prima volta nella sala anatomica dell'ateneo torinese.

«Lo faranno mai riparare?» chiese salutando con la mano un necroforo che stava uscendo: una faccia feroce e asimmetrica, sulla quale suo padre si era più volte soffermato.

«Qui dentro sono in pochi a lamentarsi se qualcosa non funziona», rispose quello.

Gina diede uno sguardo d'insieme alla sala.

Tre dei cinque tavoli erano occupati da altrettanti cadaveri. Di uno solo il telo non copriva i piedi. La luce non avrebbe potuto essere più adeguata all'ambiente sotterraneo: emanava un grigiore che faceva pensare al colore dei volti di coloro che aspettavano un passaggio al cimitero oppure di finire tra le mani degli studenti di medicina per essere allegramente tagliuzzati.

L'odore, poi...

Mai, a nessuno la Gina l'avrebbe confessato.

Ma se c'era una sensazione che al suo olfatto richiamava l'umanità, l'odore che uomini e donne emanavano vivendo, affannandosi, soffrendo e gioendo, era proprio quello che percepiva lì dentro. L'umanità però in quel momento, dentro la sala anatomica, era rappresentata solo da lei e dal necroforo. Non c'era altra anima, viva cioè.

«Il dottor Ottolenghi?» chiese.
L'omaccione si guardò in giro con una specie di sorriso che fece del suo volto una maschera brutale. Gina stava per scommettere con sé stessa che dalle labbra dell'uomo stava per uscire una battutaccia, che invece non venne.
«Non c'è», disse stringato.
«Mi hanno detto che l'avrei trovato qui», ribatté lei.
«Se è stato un custode...» sospirò l'uomo.
Se era stato un bidello a darle l'informazione, uno dei tanti che avevano il culo attaccato alla sedia con la colla, spiegò, poteva giurare che le aveva risposto a caso, tanto per togliersela di torno.
«Non è che magari stava leggendo il giornale?»
Il rumore di passi che si udì in quel momento sembrò uscire dalla bocca della donna, aperta per rispondere.
Passi dal corridoio che portava alla sala anatomica.
Passi lungo il museo degli orrori, avvertì il necroforo.
Poi rise.
Il museo degli orrori, il corridoio, no?
Alle cui pareti erano addossati armadi a vetri dentro i quali facevano bella, o brutta, mostra di sé feti, dita, nasi, orecchie eccetera. Piccoli pezzi di anatomia umana normale o quasi. Tanti piccoli pezzi, che solo con una pazienza infinita avrebbero potuto essere ricomposti per formare un unico corpo umano.
Salvatore Ottolenghi fece la sua comparsa.
«Gina!» si stupì vedendo la donna.
«Dottore», salutò lei.
«Come mai da queste parti?»
«Cercavo voi. Mi hanno mandata qui.»
Il necroforo era già pronto a rincarare la dose circa i bidelli nullafacenti.
«Be', in effetti ero qui...»
Il necroforo lo guardò: stava mentendo il dottore, quando lui era entrato in sala anatomica non c'erano altro che cadaveri.

«Cioè...» spiegò l'Ottolenghi.

Era sceso lì dal suo studio quando l'avevano avvisato che stavano portando il cadavere di una giovane donna rinvenuto per strada alle prime ore del mattino.

Nemmeno Gina Lombroso sapeva quali intenzioni si nascondevano dietro le autopsie che l'Ottolenghi eseguiva presso l'obitorio. Quei corpi, anonimi fino a che qualcuno non li avesse reclamati o riconosciuti, erano il risultato di morti perlopiù violente. Strumenti di studio, per insegnanti e studenti. Ma avevano un valore aggiunto per Salvatore Ottolenghi che da tempo andava covando l'idea che fosse ora di strappare le indagini di polizia ai metodi empirici per dar loro invece un indirizzo scientifico. Una scuola di polizia scientifica, ecco ciò che covava nel suo animo, e di cui si guardava bene dal parlare sino a che non avesse avuto solidissimi argomenti per sostenerne la necessità.

Studiare prima, osservare, catalogare, cercare i particolari più sfuggenti, le minuzie che potevano fornire, a un occhio attento, le tracce da seguire per giungere alla soluzione di omicidi spesso archiviati come incidenti irrisolti.

Di quei cadaveri che ogni tanto gli fornivano, l'Ottolenghi, benché non fosse elegante dirlo, era goloso.

Come di quello che gli avevano annunciato quella mattina.

Una volta sceso in obitorio però non aveva trovato nessuno. Quindi era risalito a chiedere delucidazioni.

Tutto spiegato, il viso del necroforo si rilassò.

«Ma voi», chiese l'Ottolenghi, «cosa ci fate qui?»

«Io posso andare?» chiese il necroforo.

Lo aspettava il professor Motta per la lezione di anatomia patologica.

L'Ottolenghi lo congedò, poi si rivolse a Gina Lombroso.

«Ditemi.»

«Volevo dirvi una cosa riguardo a mio padre, sentire un vostro consiglio, chiedervi anche di aiutarmi», disse lei.

L'Ottolenghi comprese al volo che il suo maestro si stava per mettere in un guaio, almeno secondo il pensiero della figlia. La Gina gli avrebbe chiesto un parere e la cosa non gli piaceva. Prendere le parti dell'uno o dell'altra gli risultava difficile.

A Cesare Lombroso infatti era profondamente devoto, ne ammirava la mente, le intuizioni, lo seguiva con passione lungo i sentieri oscuri che batteva e, come lui, era avvinto da ciò che si poteva nascondere dietro la pratica dello spiritismo. Inoltre era convinto che avrebbe avuto necessità del suo appoggio per far partire il progetto di una scuola di polizia scientifica quando si fosse sentito pronto per uscire allo scoperto. Della figlia invece amava la cura con la quale si prendeva a cuore la vita del genitore, l'affetto protettivo, quasi materno, la dedizione maturata quando, a causa di una tubercolosi ormai guarita, lei era rimasta in casa per circa un anno, cominciando allora a occuparsi del lavoro paterno, correggendo le bozze dei suoi primi scritti.

«Come sta?» chiese per divagare un po' e non entrare subito in argomento.

Non lo vedeva da una decina di giorni. Da quando avevano esaminato assieme il cadavere di una giovane finita sotto le rotaie del treno.

«Lui bene», rispose la Gina. «Fin troppo bene, se posso dire così.»

Sembrava che le polemiche scatenate attorno a lui in quei giorni gli facessero l'effetto di un frullato vitaminico.

«Siete voi allora ad aver bisogno di cure?» chiese l'Ottolenghi quasi scherzando.

Il viso della Gina si fece serio.

L'Ottolenghi capì di non avere scelta, se non quella di mettersi a disposizione della donna e ascoltare ciò che l'aveva spinta a venire fin lì.

30.

«Birce!» gridò l'Arcadio subito dopo essere entrato in casa.

Nessuna risposta.

«O Birce!»

Dov'era finita quella figlia storta che doveva aiutarlo a togliersi i vestiti della festa per mettersi quelli del lavoro?

«Birce!» gridò una terza volta.

La Serpe entrò in casa in quel momento. L'uomo stava tentando di togliersi le scarpe ma le stringhe erano ridotte a un groppo inestricabile.

«La Birce è sparita», disse lui in tono apocalittico, «non risponde!»

«E le galline non hanno fatto nemmeno un uovo!» rispose secca la Serpe.

L'Arcadio dimenticò all'istante la Birce e le stringhe.

«E adesso?»

Chi andava a dirlo al rettore?

I due si guardarono.

La domanda che né l'uomo né la donna riuscirono a mettere sul piatto della bilancia era un'altra.

L'ago della stessa, della bilancia insomma, cosa avrebbe fatto, in che direzione si sarebbe spostato?

Perché cinque anni prima quando era morto Ario Pendoletti, storico sacrista del santuario di Lezzeno tanto che la maggior parte dei frazionisti pensava che davvero si chiamasse Sacrista, il posto di sagrestano si era liberato aprendo una sorta di concorso sui generis.

Posto ambito.

Il rettorato del santuario disponeva infatti di terreni, stalle e vigne ed era nella sua disponibilità darle a mezzadria secondo un regolamento non scritto la cui gestione era lasciata alla discrezione del rettore in carica. Quale obbligo il mezzadro incaricato aveva il dovere di badare alle proprietà del rettorato secondo scienza e coscienza, padrone di goderne i frutti tranne una parte che costituiva la quota da devolvere per i bisogni del rettore. Su tali bisogni, sulla quantità, il rettore non aveva mai questionato, affidandosi al criterio e alla coscienza del sacrista.

Beccare quel posto era quindi una bella fortuna, voleva dire garantirsi il futuro. Anche perché, a renderlo ancor più appetibile, erano le condizioni in virtù delle quali il rettore, con giudizio inappellabile, poteva rescindere l'accordo: morte dell'incaricato, rinuncia dello stesso oppure gravi e reiterati episodi di disobbedienza, indisciplina o incuria.

Tranne la morte, come nel caso del Pendoletti, le altre condizioni erano sempre rimaste nel campo delle possibilità.

Morto l'Ario, il rettore, onde decidere senza far torto a nessuno, aveva consultato, riunendolo, un consiglio di sole donne, sembrandogli giusto così poiché il santuario era nato sotto l'ala della Madonna, cui aveva dato, non senza una punta d'ironia, il titolo di Venerande Vivandiere.

Lo componevano otto tra le matrone delle famiglie più disastrate della frazione di Lezzeno: la Ullia, la Seta di Grabbia, la Stela, la Rognola, l'Alfasì, la Recondita, la Serpe e la Perseghèta. Ciascuna di queste aveva messo sul tavolo le rispettive condizioni familiari. E alla fine delle consultazioni il rettore si era trovato a dover scegliere tra la famiglia della Serpe e quella della Perseghèta.

La Serpe aveva messo sul piatto tre figlie, un marito al momento senza impiego ma volenteroso e che aveva fatto voto di castità, e sé stessa che aveva giurato solennemente di farglielo rispettare. La Perseghèta non aveva figli ma aveva controbattuto con un marito che aveva già perso due dita lavorando nelle cave della Valvarrone ed era minacciato di licenziamento dal padrone che in cava non voleva menomati di sorta.

Il rettore, pur tribolato, aveva scelto la Serpe.

Giusto una settimana dopo, il marito della Perseghèta aveva lasciato in cava un altro dito, il terzo, tranciato netto da una scheggia di sasso affilata come un coltello.

La moglie non aveva perso tempo, era volata dal rettore.

«E adesso?»

Un altro dito perduto, licenziamento sempre più vicino...

Il rettore aveva allargato le braccia, sospirando.

Le regole erano regole e andavano rispettate. Lo sapeva anche lei che solo...

«Sì, sì», l'aveva interrotto la Perseghèta, «solo la morte, la rinuncia...»

Oppure gravi episodi di disobbedienza, indisciplina o incuria.

Come avrebbe interpretato quel fatto il rettore?

Disobbedienza?

Ma di chi, delle galline?

O indisciplina, sempre delle stesse?

Oppure, da parte di loro due, incuria?, si chiese la Serpe.

31.

“Cosa fare?” si chiese Giuditta Carvasana.

Dopo quella risposta, quel «Niente!» tutt’altro che rassicurante, aveva invitato la Birce a seguirla e l’aveva fatta accomodare nell’ampia cucina di villa Alba.

L’aveva voluta davanti a sé, sotto i suoi occhi.

Per guardarla bene, cercare nella sua figura motivi onde scacciare il pensiero che il rettore, nonostante le parole rassicuranti con le quali l’aveva infine convinta («vedrete, sarà una sorpresa e grazie alle vostre cure, all’aria nuova che la giovane respirerà grazie a voi!»), le avesse mandato una ragazza un po’ tonta, per non dire del tutto suonata.

«Vuoi qualcosa da bere?» le chiese.

La Birce rifiutò scuotendo appena la testa.

«Ti piace qui?» insisté la Carvasana.

Non si aspettava certo uno scoppio di entusiasmo. Nemmeno però che la ragazza non muovesse neanche un muscolo del viso.

Be’, insomma, ragionò la padrona di casa, rettore o no... rettore o no, se la ragazza che le stava davanti non aveva tutte le rotelle a posto, la sua villa non era certo il luogo ideale dove tenerla. Magari nemmeno il rettore la conosceva a fondo, gliel’aveva consigliata senza sapere in che stato si trovasse.

In ogni caso, rifletté la Carvasana, doveva decidere, e in fretta, come agire, non poteva fare a meno di una cameriera, svelta, agile e anche sveglia.

«Dimmi un po'», tentò per la terza volta, «tu cosa sai fare?»

La domanda scosse un poco la Birce. Reagì con un rapido movimento di estensione del capo e la Carvasana vide che le sue labbra si schiusero, come se stesse per dire finalmente qualcosa.

La Birce rifletteva.

Di cose ne sapeva fare un sacco.

Portare al pascolo le galline.

Infilare loro un dito nel culo per vedere se avevano pronto l'uovo.

Rastrellare prati fino a farli risplendere come fossero pavimenti.

Piluccare via dai grappoli d'uva gli acini bacati.

Imboccare i vitellini appena nati.

Uccidere le mosche con le mani.

Raccogliere castagne, funghi, anche posizionare archetti per catturare uccelletti...

Ne sapeva fare di cose, un sacco.

Ma, da quando aveva messo piede dentro la villa...

Aprì infine la bocca per parlare.

«Niente», disse.

E la voglia sulla guancia sembrò farsi più rosea.

32.

Nuovi passi risuonarono nel museo degli orrori.

Passi pesanti.

L'Ottolenghi comprese che il cadavere che gli avevano annunciato stava arrivando.

Non fosse stato a conoscenza delle sue ambizioni, l'Ottolenghi avrebbe detto alla Gina che forse le conveniva allontanarsi: non era, quello di una giovane donna trovata morta per strada, probabilmente vittima di un'aggressione o di altre violenze, il più leggiadro degli spettacoli.

La conosceva a fondo invece. Sapeva fin troppo bene quanto poco la donna fosse interessata agli studi di lettere, intrapresi contro la sua volontà, e molto più attratta invece dall'antropologia e dalla psichiatria, materie delle quali s'era nutrita sin da giovanissima, seguendo e aiutando il genitore.

Non disse nulla quindi, pregando solo la Gina di seguirlo in fondo al locale, lasciando ai due portantini lo spazio per entrare e deporre il corpo.

Il cadavere era nascosto sotto una coperta di lana grezza, bucherellata. Il colore, quel grigioverde che faceva tanto militare.

«Tutto vostro», disse uno dei portantini uscendo dalla sala.

L'Ottolenghi e la Gina si avvicinarono al tavolo.

Un metro e sessanta, calcolò a occhio la Gina, non di più. Nonostante ciò i piedi sbucavano fuori. Li ricoprì.

«Sapete di chi si tratta?» chiese.

L'Ottolenghi scosse il capo.

«Per il momento sappiamo solo che è... era una fioraia. Buona parte di coloro che entrano qui sono anonimi.»

E alcuni, se non reclamati, lo restavano per sempre.

«Volete rimanere?» chiese l'Ottolenghi.

«Se non vi disturbo», rispose la Gina. «Non vorrei farvi perdere tempo, sottrarlo al vostro lavoro.»

«O, se è per quello potete tranquillamente raccontarmi perché siete venuta qui mentre comincio a dare un'occhiata a questa poveretta.»

La Gina acconsentì.

«Allora», fece l'Ottolenghi tirando via la coperta e lasciandola cadere a terra.

«Cominciamo male», aggiunse subito dopo.

Il viso della ragazza era una maschera, contusioni e soffusioni emorragiche ne avevano deturpato una grazia che si poteva solo intuire ormai.

Il vestito, notò la donna, di una cotonina leggera, a fiori, smunto però, lavato più e più volte. Forse lavato alla sera affinché fosse già pronto la mattina successiva. L'Ottolenghi si guardò in giro, cercava i portantini perché l'aiutassero a sistemare meglio il corpo sul tavolo anatomico ma quelli, rapidi come fulmini, se n'erano già andati.

«Sempre così quando si ha bisogno», commentò Salvatore.

«Vi posso aiutare io se credete», disse la Gina dopo che l'Ottolenghi le spiegò il perché della sua uscita.

L'uomo restò perplesso solo per un istante. La Gina aveva già posto le mani sulle gambe e sul bacino della ragazza.

«Poveretta!» le scappò detto quando l'ebbero risistemata.

L'Ottolenghi la guardò.

«Scusate.»

Pensava di essere pronta a tutto ma l'averla toccata, aver posto le mani su quella carne ancora così soda, così giovane...

L'Ottolenghi non commentò.

«Trent'anni, occhio e croce», disse.

Forse qualcuno in meno.

«Le mani», disse la Gina, ritrovando il tono professionale che l'uomo conosceva bene.

«Come?» fece l'Ottolenghi.

Bastava guardarle. Quelle mani dimostravano più di trent'anni. Noduli d'artrosi già presenti alle articolazioni. Le unghie, rotte, scure. Anche la pianta dei piedi manifestava un'incuria protratta, un uso privo di protezione. V'erano fessurazioni al calcagno, callosità.

«Camminava spesso a piedi nudi», osservò la donna.

«Risparmiava le scarpe», disse l'Ottolenghi.

Se mai le aveva.

Alla Gina scappò un sospiro.

Non c'era niente che potesse permettere di aiutare a identificarla.

Una catenina, un anello...

«Magari li aveva», lasciò cadere l'Ottolenghi.

La Gina intuì cosa volesse intendere.

«Davvero?» chiese.

L'uomo si strinse nelle spalle.

«Se mai aveva qualche centesimo in tasca sono pronto a scommettere che non c'è più», disse. «Cercate voi stessa.»

La Gina infilò la mano in una delle due tasche del vestito.

Qualcosa c'era, pure di carta, forse cartamoneta. Sorrise all'idea di stupire il serissimo Ottolenghi. Si comportò come se stesse compiendo l'atto finale di un gioco di prestigio, estraendo lentamente la mano dalla tasca.

«Tadaaa!» canticchiò anche.

Ma sul viso dell'Ottolenghi non comparve il sorriso che aveva sperato.

33.

Su Pavia gravava una cappa di caldo che sembrava togliere la vista. Come se tutto in giro ci fosse una specie di nebbiolina.

«È il caldo», spiegò un ferroviere a Cesare Lombroso.

L'aveva fermato per chiedere dove poteva trovare un mezzo di trasporto per raggiungere l'hotel Pavia a San Genesio e Uniti. Nonostante la sua richiesta di avere una sistemazione il più possibile vicina alla sede dell'università non c'era stato niente da fare.

«Per esserci, c'è», rispose il ferroviere.

Ma bisognava adattarsi.

«In che senso?» chiese l'alienista.

Il ferroviere gli fece cenno di seguirlo, di allontanarsi dalla gente che occupava il marciapiede della stazione.

Ma cos'era, un segreto?

«No», assicurò il ferroviere.

Era che la paga di un ferroviere era quello che era.

Misera.

Inutile soprattutto se il ferroviere aveva una famiglia di sei figli da tirare grandi, una moglie che faceva quello che poteva ma era già stata in ospedale due volte per il tifo e una suocera cieca che, per dirla tutta, pretendeva anche.

«Siete voi quel ferroviere?» chiese Lombroso.

L'uomo fece un cenno col capo.

«Sì.»

«Ho capito», disse il Lombroso.

Arrotondava.
«Mi potete portare voi quindi?»
«Certo.»
«Andiamo allora.»
E no!
«Momento.»
La faccenda non era così facile.
Bisognava aspettare.
«Quanto?»
«Un po'», rispose il ferroviere.
Due orette.
Due orette necessarie a che lui finisse il turno. A quell'ora suo figlio grande si sarebbe presentato fuori dalla stazione con un carretto trainato dal ronzino di famiglia e sarebbero potuti partire.
«Non c'è un altro mezzo diciamo... più rapido e magari... magari che parta un po' prima di due ore?» chiese l'alienista.
Il ferroviere si ritirò nelle spalle. Sul viso gli comparve la maschera dell'onest'uomo: a domanda avrebbe risposto correttamente, fornendo le indicazioni che gli erano state richieste. E avrebbe così perduto una mancia sulla quale, era evidente, aveva già fatto un conto.
Cesare Lombroso guardò in aria.
«Aspetterò», disse.
E sul viso del ferroviere tornò il sorriso.

34.

L'Ottolenghi guardò il foglietto che la Gina aveva trovato nella tasca della giovane.

Poi sollevò gli occhi verso di lei e scosse la testa.

«Cosa c'è?» chiese Gina Lombroso.

«È strano», rispose lui.

«Strano cosa?»

Ma, invece di rispondere, l'uomo si chinò sul cadavere. Alla Gina diede l'impressione che lo volesse baciare.

«Ma...» fece lei.

L'Ottolenghi annusò, poi palpeggiò il colletto del vestito, lo sfregò e si portò le dita al naso.

Fece per parlare ma si bloccò.

«Fatemi una cortesia», disse poi.

Se la cosa non la disturbava, annusasse anche lei.

«Nessun disturbo», rispose Gina Lombroso.

Anche se le sarebbe piaciuto capire il perché della richiesta. Tacque. Sapeva che la spiegazione sarebbe venuta dopo.

«Secondo voi?» chiese l'Ottolenghi.

Che odore aveva avvertito annusando la stoffa del vestito?

Gina Lombroso guardò il viso dell'uomo. Era il viso del professore. Era il professore che faceva una domanda alla classe intera, sperando che la migliore, la più intelligente, la più dotata di intuito rispondesse.

In quel momento la classe era lei.

«Alcol», disse. «Sembrerebbe alcol, ma...»

«Ma?» fece l'Ottolenghi con già negli occhi la soddisfazione della risposta che avrebbe confermato quello che anche lui pensava.

Be', insomma, se doveva essere sincera, quell'odore, prima ancora dell'alcol, le ricordava quello del cloroformio.

«Esatto», fece l'Ottolenghi.

«L'ho sentito nell'aria dello studio di mio padre per settimane», disse la Gina.

«Lo immagino», disse l'Ottolenghi.

L'alienista gli aveva spesso parlato del cloroformio e dell'uso a scopo criminale che ne era stato fatto secondo notizie che aveva reperito in Inghilterra, dove si erano registrati casi piuttosto strani di morte senza causa apparente, senza lesioni rilevabili sui corpi rinvenuti nelle acque del Tamigi oppure nei quartieri più sordidi di Londra.

Pure la Gina era al corrente di quei fatti.

Tuttavia in quegli atti criminosi c'era lo scopo di rapina.

«Non riesco a credere che questa povera ragazza sia stata aggredita e uccisa per portarle via quelle poche lire che aveva in tasca, se mai c'erano», affermò.

«Infatti», si accodò l'Ottolenghi.

Chiunque, disse, sarebbe potuto cadere nell'errore di pensare una simile cosa.

Chiunque. Anche lui.

«Prima, però», affermò l'Ottolenghi.

Prima che la Gina trovasse quel biglietto nella tasca del vestito.

La Gina contenne lo stupore.

Sul biglietto non c'erano altro che dei segni. Segni matematici, per quel che si capiva.

«Proprio così», fece l'uomo.

E detto senza offesa avrebbe preferito che, adesso, al posto della figlia ci fosse stato proprio lui, Cesare Lombroso.

«Perché?» chiese la Gina.

Perché...

35.

«Può capitare», disse il rettore.

Poteva capitare che le galline non facessero uova di tanto in tanto. Anche loro, come tutte le creature del Signore, erano soggette alle molte variabili della vita, pativano il freddo, il caldo, la pioggia, il vento, la confusione come quella che aveva animato il santuario il giorno precedente, o chissà che altro.

L'Arcadio era andato da lui balbettando scuse per l'accaduto e giurando, per conto dei pennuti, che non sarebbe più successo.

Il rettore lo tranquillizzò.

«Non vi agitate per così poco», disse.

All'uscita del rettore l'Arcadio ritrovò all'istante la sua sicurezza.

«Sapete», disse, «non è tanto per me quanto per la Serpe.»

Era lei che si agitava per una cosa da niente, lei che vedeva in quel piccolo incidente di percorso una specie di segno del cielo, un rimprovero, un primo avviso di malevolenza da parte di Nostro Signore.

«Il Creatore ha ben altro da fare che occuparsi di quattro galline, non credete?» chiese il rettore.

«Io sì», rispose l'Arcadio.

La Serpe invece aveva una mente ristretta, pensava che il mondo cominciava e finiva lì dov'era nata e cresciuta. Quindi, anziché ritenere che anche le galline, come tutte le creature di Nostro Signore, pativano il freddo, il caldo e tutte le altre belle cose che il signor rettore aveva detto, andava a pensare a chissà cosa.

Il rettore sorrise: l'improntitudine di quell'uomo lo divertiva.

Ma anche lui, sebbene con tutte le diversità del caso, aveva un sacco di cose da fare.

«Andate dunque e dite a vostra moglie di non temere alcunché. Né dall'alto dei cieli né da parte del rettorato.»

L'Arcadio si fregò le mani uscendo.

Adesso era pronto a riscuotere dalla Serpe ammirazione e comprensione, col che si sarebbe aggiudicato una giornata di tutto riposo, allo scopo di recuperare in pace il dopo sbornia.

Capo chino, sguardo a terra, mani dietro la schiena.

Era così, più o meno, che un uomo usciva da una battaglia verbale.

Vittorioso, come lui.

«Ma una fatica...» mormorò, preparandosi alla battuta che avrebbe stimolato la curiosità della moglie e alla quale avrebbe risposto con invidiabile fantasia.

Al suo ritorno però la Serpe non era in casa ad attenderlo come si sarebbe aspettato.

Si sedette, temendo che l'attesa ne avrebbe compromessa la carica, inquinato l'energia necessaria alla manfrina che aveva preparato.

A un certo punto udì i passi di lei che si avvicinavano.

Dove caspita era andata...

Va be', poco importava.

Si preparò a rispondere alla prima domanda, un «Allora?» cui avrebbe risposto ciondolando il capo, fatica e paura di duellare a parole con un uomo colto come il signor rettore.

Ma la Serpe entrò come se avesse una pianta di grattaculo sotto la gonna.

«Se proprio lo vuoi sapere...» attaccò l'uomo visto che la moglie non si decideva a prendere l'iniziativa.

La Serpe però non voleva sapere come fosse andata col rettore. Piuttosto stava maledicendo sé stessa per aver raccomandato alla Birce di comportarsi come se fosse stata cieca, sorda, muta e smemorata, perdendo così un'ottima fonte di informazioni per grattare un poco il mistero che circondava quella bella signora bionda e che l'intrigava sin dalla prima volta in cui l'aveva vista comparire sul piazzale del santuario.

Era certa che la figlia avrebbe obbedito alla lettera alle raccomandazioni che le aveva dato poche ore prima, scendendo verso Bellano.

Scema che era stata, peggio per lei, se l'era data da sé la zappa sui piedi.

Non udì nemmeno le parole che l'Arcadio aveva pronunciato, tornò a uscire lasciando il marito lì, spiazzato, la bocca aperta...

36.

Giusto una decina di giorni prima, disse l'Ottolenghi.

Giusto una decina di giorni prima il padre di Gina era lì con lui, più o meno alla stessa ora, più o meno nella stessa situazione.

Come adesso, avevano entrambi sotto gli occhi un cadavere. L'unica differenza era che dimostrava di avere una decina di anni in più, all'incirca quaranta.

Anonima anche quella.

«Poi è stata identificata», aggiunse l'Ottolenghi.

Si chiamava Verenda Pares, trentotto anni. Lavorava come cameriera in un caffè dalle parti della stazione di Porta Nuova. Il corpo era conciato davvero male, come poteva capitare a chi finiva sotto le ruote di un treno.

«Fratture, lacerazioni, un'emorragia interna.»

Il conduttore che l'aveva investita, oltre a dichiarare di non averla mai vista prima, aveva aggiunto di averla centrata in pieno mentre attraversava di corsa il binario. Non poteva giurarlo, ma aveva avuto l'impressione che un istante prima che entrasse nel fascio di luce del fanale, la Pares stesse guardando alle proprie spalle.

Poi c'era stato l'impatto.

«Stava scappando?» buttò lì Gina Lombroso.

«È un'ipotesi», fece l'Ottolenghi.

L'ispezione che lui aveva fatto sul cadavere aveva confermato che la morte era dovuta alle lesioni riportate nell'impatto con il locomotore.

«Tutte lesioni molto gravi, alcune fatali.»

Tutte, tranne una.

«Quella per cui ho chiamato vostro padre e gli ho chiesto una sorta di supervisione, un parere.»

Si trattava di una frattura quasi triangolare, alla base dell'osso occipitale, sulla destra. Frattura non compatibile con l'impatto con il locomotore o comunque difficilmente inquadrabile in un incidente di quel tipo.

«E mio padre?» chiese la Gina.

Lombroso aveva espresso anche lui seri dubbi sul fatto che la lesione fosse dovuta all'incidente e aveva osservato, ma in tono puramente accademico, che il colpo aveva centrato l'area dell'amore sensuale secondo l'atlante frenologico di Biagio Miraglia, buttando lì l'ipotesi che l'aggressione a scopo sessuale potesse essere un movente possibile.

Caso chiuso prima ancora di essere aperto, insomma.

«Adesso però la cosa cambia aspetto», affermò l'Ottolenghi.

Perché nella tasca della giacca della Pares era stato rinvenuto un biglietto molto simile a quello trovato nella tasca della giovane fioraia.

Anche lì dei segni, forse matematici, qualcosa di incomprensibile...

Allora, dieci giorni fa, in modo alquanto improvvido, non gli aveva dato alcuna importanza. E invece avrebbe dovuto. Si diede mentalmente dello stupido.

«Adesso invece...» disse l'Ottolenghi un po' mortificato mentre Gina Lombroso portava la mano sotto il capo della ragazza per ispezionarlo.

37.

Quando, circa a metà del pranzo, qualcuno bussò al portone di villa Alba, Giuditta Carvasana tirò un sospiro di sollievo.

Non ne poteva più e non sapeva cosa fare.

Innanzitutto solo lei aveva cominciato a mangiare, e non col solito appetito dopo che la Birce le aveva detto di non avere per niente fame. S'era versata nel piatto una minestra di verdura preparata la sera prima da lei stessa. Ma la vista della Birce gliel'aveva resa insipida.

Così silenziosa, come persa in un altro mondo.

Due, tre cucchiaiate e aveva perduto anche lei l'appetito, stomaco chiuso. Nemmeno più il rumore dei suoi risucchi aveva interrotto il silenzio che pesava nella cucina.

Cosa poteva chiedere a quella ragazza tanto per avviare una conversazione qualunque? Niente, tanto non avrebbe ottenuto altro che monosillabi in risposta.

La cosa migliore, aveva pensato la Carvasana, era che se ne tornasse da dove era venuta.

Le dispiaceva.

Soprattutto per il rettore che gliel'aveva raccomandata ma che forse non la conosceva così bene come credeva e l'aveva pensata affidabile, avviandola verso un lavoro che invece non era propriamente il suo.

Mentre pensava queste cose, avevano bussato al portone della villa e in prima battuta la Carvasana ne era stata felice perché era la scusa che le permetteva di abbandonare la cucina, uscire da quel silenzio inutile e pesante.

Chiunque fosse al portone, era benedetto, ma poi...
Poi, avviandosi per aprire, la padrona di casa fu preda di una fantasia sfrenata.
Immaginò che a bussare fosse stata la vera Birce, una Birce agile, scattante, allegra e ciarliera, mentre quella che era seduta in cucina non fosse altro che la sua ombra, o un'impostora.
Il viso che le si presentò alla porta prima di ogni altra cosa la riportò alla realtà.
Naso importante, storto, rosso rosso, piegato verso il basso.
«Telegramma», uscì da una narice.
Storto il naso, rosso rosso e piegato verso il basso: naso del tipo detto «che piscia in bocca», così che il possessore sembrava parlare con quello. Se lo portava in giro, senza evidente imbarazzo, il procaccia Ventaglio.
Alla delusione per la repentina fine della sua fantasia, nella Carvasana si sostituì la curiosità di scoprire chi le avesse mandato un telegramma.
Sorta di rebus, la risposta, ma non di quelli più impegnativi.
Due sole persone infatti ne conoscevano l'indirizzo, il suo amante Cressogno e l'Eusapia Palladino.

38.

Fuori, all'aria aperta, nella luce pulita di quell'ora centrale della giornata, Gina Lombroso respirò a fondo e per contrasto pensò alla penombra, al grigiore, all'odore di chiuso e di morte che si era appena lasciata alle spalle. Avvertiva ancora un residuo di quei tristi odori mischiati uno all'altro, più di tutti quello del cloroformio.

Avrebbe dovuto chiederlo all'Ottolenghi, ma se n'era dimenticata. Più che dimenticata, aveva tralasciato di dirlo perché non aveva osato disturbare l'Ottolenghi quando, dopo che lei stessa gliel'aveva fatta notare, borbottando ipotesi s'era immerso nell'osservazione della lesione che il cranio della ragazza presentava. Una sorta di buco che proprio lei aveva percepito con le dita quando aveva sollevato la testa del cadavere ponendo le mani sotto la sua nuca.

Adesso, di tornare indietro non ne aveva voglia, tra l'altro l'Ottolenghi doveva tenere una lezione, non l'avrebbe trovato.

Più tardi forse, anzi, senz'altro.

Più tardi, nel corso del pomeriggio, sarebbe tornata oppure l'avrebbe cercato a casa, o nel suo studio, per chiedergli se per caso anche la prima vittima avesse addosso quel particolare odore che lasciava il cloroformio.

Adesso, come aveva promesso di fare, aveva un altro compito che pressava: riassumere quello che era accaduto in mattinata, fare una specie di relazione, mettere su carta quello che lei e l'Ottolenghi s'erano detti cercando di non dimenticare niente e quindi spedire il tutto nella maniera più rapida possibile a suo padre per averne un parere.

Era un'idea balzana quella che lei e l'Ottolenghi, pur senza dirlo chiaramente, s'erano fatti attorno a quelle due morti così simili oppure c'era davvero qualcosa che le univa?

La curiosità la rodeva.

E, insieme con quella, anche un poco di rabbia.

Se quello zuccone di suo padre le avesse dato ascolto, avesse rinunciato a quelle inutili, addirittura dannose secondo lei, conferenze, sarebbe stato lì adesso e insieme avrebbero discusso a voce della cosa, come da sempre erano abituati a fare.

39.

Il Chiaia pure aveva di che mormorare tra sé.

Il Massimino neh!, non l'altro Chiaia, l'Ercole, che aveva invece cose più serie cui pensare.

E l'arrivo del telegramma in cui si chiedevano urgenti notizie della Palladino perché di lei si aveva urgente bisogno, aveva rinfocolato le sue lamentele.

Pure lui ne aveva urgente bisogno e pur avendola cercata non aveva la minima idea di dove fosse finita quella sfaccimm 'e fimmena!

Cioè, sapere lo sapeva, in un certo senso.

A penzarce bbuono!

Ecco dov'era finita: a riflettere, a meditare sulla sua vita!

Con tutto il lavoro che lui le stava procurando, quella gli aveva fatto sapere che se ne andava chissà dove a meditare, e buonanotte 'o sunatore!

Aveva faticato assaie girando per campagne, a battere piazze di paesi, paesini e paesacci magnificando le virtù di quella donna che sapeva fare cose meravigliose.

Parlava coi morti, vedeva il futuro e il passato, leggeva la mano, consigliava e sconsigliava matrimoni e affari, conosceva il sesso dei nascituri, guariva anche alcune malattie. S'era pure attrezzato con uno che gli avrebbe messo a disposizione carro e cavalli per andarsene in giro di piazza in piazza, montando e smontando un tendone dentro il quale i clienti avrebbero trovato la risposta a ogni loro domanda.

D'accordo, le aveva sparate un po' grosse sul conto

della Palladino, ma gli affari erano affari e per quanto riguardava il resto bastava che l'Eusapia dicesse alla gente quello che voleva sentirsi dire.

Se ci voleva un po' di fumo poi o qualche voce strana o qualunque altra diavoleria per impressionare a modo la gente, vabbuo', ci avrebbe pensato lui.

Ma senza di lei lui era come un caciocavallo appeso.

Adesso poi, che era ormai tutto pronto.

Proprio adesso, quando aveva cominciato a sentire il rumore dei soldi che tintinnavano nelle sue saccocce, quella se n'era andata a meditare!

Perché poi per meditare uno doveva andarsene in capo al mondo o dove demonio era andata la Palladino...

Perché manco quello gli aveva detto.

E qualunque cosa volesse quel cazzo di Lombroso che ne aveva urgente bisogno, se la cercasse da sé, perché lui non aveva la minima idea di dove potesse essersi cacciata.

40.

Vicina alla Carvasana e a villa Alba.

Mai state così vicine lei e la Giuditta dopo che per mesi e mesi, tramite lettere cartoline e bigliettini, s'erano promesse di rivedersi senza che ne fosse mai capitata l'occasione.

Adesso invece erano vicinissime, in linea d'aria una decina di chilometri, forse meno, e una montagna di mezzo.

La Palladino era a Lugano e con un buon binocolo, se appunto non ci fosse stata la montagna di mezzo, avrebbe potuto vedere villa Alba e forse anche la sua amica.

Il giro in Svizzera per il quale era partita una decina di giorni prima si avvicinava ormai alla conclusione, ancora un paio di consulenze, poi basta.

Consulenze.

La Palladino non le chiamava più sedute misteriche o spiritiche. Il sospetto, insinuato anche dai giornali, che lei fosse solo un'abile mistificatrice l'aveva indotta a cambiare costume e vocabolario. Poca, nessuna pubblicità intorno a ciò che faceva e non più sedute, consulenze invece.

Quel tour in Svizzera era capitato a proposito e la medium ne aveva approfittato anche per qualche giorno di riposo presso le terme di Baden.

Una volta a Lugano aveva scritto alla Carvasana. Nella cittadina elvetica doveva trattenersi tre giorni, ospite a villa Nathan, residenza famosa per una ricca raccolta di idoli messicani e una sconfinata collezione di minerali d'America, poi sarebbe rientrata in Italia, facendo tappa a Como dove si sarebbe trattenuta giusto il tempo di un paio di consulenze: due giorni, forse tre.

Infine, se l'invito dell'amica era ancora valido, sarebbe passata più che volentieri a trovarla.

Alla lettera Giuditta aveva risposto entusiasta con un telegramma, dicendosi più che mai felice di rivederla.

Dicesse lei quando, come... poi era calato il silenzio.

I giorni che erano passati senza ricevere notizie da parte della Palladino avevano fatto pensare alla Carvasana che anche quella volta sarebbe andata buca.

Quando, leggendo il testo del telegramma, Giuditta vide che era della Palladino ne fu felice, più ancora che se fosse stato del Cressogno.

Congedò il procaccia con una mancia che avrebbe dato altra porporina al naso di quello e rientrando in cucina rifletté che, per quanto inadatta ai lavori domestici, avrebbe trattenuto la Birce per farsi comunque aiutare a preparare la casa in modo conveniente a ricevere l'amica.

L'Eusapia non aveva specificato data e ora di arrivo.

Di lì a qualche giorno aveva scritto, tre o al massimo quattro.

41.

Verso le quattro di quel pomeriggio qualcuno bussò alla porta di casa della Perseghèta.

Fu lei stessa ad aprire.

«Cosa vuoi?» chiese.

Il tu perché si trattava di un bambinetto e il tono, intriso di sufficienza, poiché lo stesso era scalzo essendo l'ennesimo figlio della più desolata famiglia della frazione.

«Quattro uova», rispose quello.

Bastava poco per indurre al sospetto la Perseghèta. La richiesta dello straccioncello era più che sufficiente.

Lo mise all'angolo, le uova costavano, lo sapeva o no quel figlio di nessuno?

«Le uova costano caro mio», disse.

Il moccioso infilò una mano di dita nere nella tasca dei pantaloni, scoloriti e macchiati di ogni sugo e secrezione possibile. Scoprì sotto gli occhi della donna un palmo in cui, tra residui di terra e polvere di foglie, si notavano alcuni centesimi.

«Dove li hai rubati quei soldi?» chiese la Perseghèta.

«Me li hanno dati», fu la risposta.

Difficile da credere.

«Chi?» chiese la donna.

«Mi ha detto di non dirlo.»

Doveva ancora nascere colui o colei che poteva mettere nel sacco la Perseghèta.

«Se me lo dici ti regalo tutto, uova e soldi.»

Nemmeno il fulmine poteva essere così rapido.

«Il rettore», rispose il ragazzino.
La donna non poté contenere un primo stupore.
Il rettore mandava a prendere da lei le uova?
E in forma anonima?
Congedò il ragazzetto, due uova, via!
Le dispiaceva un po', ma aveva promesso.

42.

Il ronzino di famiglia era una carcassa ricoperta di pelle e di mosche che non scacciava nemmeno più, forse perché non aveva la forza di azionare la coda a mo' di frusta.

Bene così, perché almeno l'attenzione di Cesare Lombroso si concentrò tutta in un'estenuante lotta contro le zanzare. A un certo punto il ferroviere si permise di consigliargli di non insistere, correva solo il rischio di gonfiarsi il viso a furia di sberle senza ottenere risultati.

«L'estate qui è zanzarosa», disse, «e l'unico sistema per evitarle è starsene chiusi in casa. Chi può, certo.»

Una volta giunto a destinazione l'alienista si chiuse in camera. Percepiva una sensazione come se avesse la febbre ma non sapeva se attribuirla alle decine di punture subite, al calore patito durante il trasferimento di funerea lentezza oppure all'impressione di trovarsi dentro un mondo disabitato. Forse tutte e tre le cose insieme. Passò comunque un'ora buona a farsi applicazioni fresche dappertutto, e pure un semicupio là bas, perché la panchetta sulla quale era stato seduto per più di un'ora l'aveva irritato.

Non aveva fame, non aveva sete.

Non aveva nemmeno una gran voglia di trovarsi lì dov'era, solo e senza il conforto di una persona amica che rintuzzasse i brutti pensieri che ogni tanto prendevano il sopravvento. Nella solitudine, tutte le malignità che correvano sul suo conto dopo l'uscita dell'edizione, riveduta, corretta e arricchita, di *Genio e follia* parevano prendere vigore e, orribile a dirsi!, gli sembrava quasi che non avessero tutti i torti. Doveva fare forza su sé stesso per non perdere la fiducia nelle sue intuizioni. Gli avrebbe fatto un gran bene avere accanto una voce amica che lo invitasse a non mollare, citandogli a conforto gli innumerevoli esempi di studiosi e scienziati che, svillaneggiati al tempo delle loro scoperte, erano poi stati riabilitati con tanto di scuse, monumenti, viali dedicati e via dicendo.

Gli ci sarebbe voluta la Gina, la figlia che da sempre lo seguiva, lo accudiva, gli correggeva gli scritti, addirittura gli sceglieva gli abiti da indossare.

La Gina, appunto.

Che gli aveva sconsigliato di accettare quell'invito, lasciar perdere, aspettare che le polemiche si smorzassero un po'. Lui invece, come spesso faceva, chiedeva un parere e poi agiva di testa sua.

Aveva accettato l'invito dell'università di Pavia convinto si trattasse di una passeggiata. Adesso invece era assalito dal dubbio di aver commesso un'imprudenza e che forse gli sarebbe toccato affrontare un uditorio scettico e pronto alle contestazioni.

Ci fosse stata almeno la Palladino, avrebbe avuto in mano un'arma in più, e solida, reale, per affrontare i nemici.

Solo invece e con una pistola scarica.

Ma forse, pensò l'alienista prima di sdraiarsi per riposare un po', era soltanto, tutta colpa delle zanzare.

43.

Che la Palladino arrivasse di lì a due, tre o anche quattro giorni, non cambiava niente: nel senso che era necessario prepararsi a riceverla come si conveniva allestendo prima di ogni altra cosa la camera dove l'avrebbe ospitata.

Non era certo la disponibilità di camere da letto che mancava a villa Alba.

Al piano di sopra infatti, oltre a quella che usava lei, con la collaborazione del Cressogno quando c'era, e quella destinata alla cameriera, c'erano altre due stanze che non erano mai state usate. Una era stata aperta solo di rado e ancor più di rado ordinata e pulita di fino, ed era quella che la Carvasana destinò a ospitare i sonni della medium. L'altra l'aveva ispezionata una sola volta richiudendosi quasi subito la porta alle spalle: era così ingombra di carabattole accumulate lì dal precedente proprietario della villa che faceva scappare la voglia di renderla agibile.

Rientrata in cucina la padrona di casa si era trovata faccia a faccia con una Birce che sembrava di sale. La posizione al tavolo era la stessa di prima, lo sguardo era fisso sulla parete di fronte.

O insomma!, era stato il suo pensiero.

Forse era venuto il momento di dirle un paio di cosette.

Certo, poteva capire che la ragazza fosse un poco disorientata per essere capitata da un giorno all'altro in una situazione completamente nuova per lei.

Ma vivaddio!, aveva anche un'età in cui novità di quel tipo dovevano dare entusiasmo, energia, stimolare curiosità.

Le era toccata una fortuna, e doveva mettersélo in testa. Altre avrebbero fatto carte false pur di essere nella sua condizione. E di quella fortuna doveva approfittare.

Di lei soprattutto doveva approfittare perché se avesse dimostrato anche solo un minimo di buona volontà non le sarebbe stato difficile aiutarla a trovare un altro posto presso una casa altrettanto signorile.

A meno che... a meno che la sua ambizione fosse quella di ritornare quanto prima in mezzo alle galline e invecchiare in compagnia di occupazioni simili.

Quel treno di parole era bello e pronto sulla lingua della Carvasana, ma non era partito.

La padrona di casa aveva intuito che avrebbe sprecato il fiato, la Birce continuava a guardare fissamente il muro di fronte a lei, la mano sul viso a coprire la voglia che si era fatta rosso fuoco.

44.

La conferenza di Cesare Lombroso concernente il tema di *Genio e follia* presso l'aula magna dell'università di Pavia era stata indetta per le ore diciannove.

A volerla a tutti i costi era stato il professor Eldo Despirati, ordinario della cattedra di neurologia dell'ateneo pavese, uno dei tanti luminari che erano inorriditi a veder ristampato e con grande successo il libro del famoso alienista. Il Despirati non solo si era dichiarato personalmente ostile alle teorie lombrosiane. Pure la persona in sé gli stava antipatica e aveva fatto correre la voce che chiunque tra i suoi studenti si fosse fatto abbindolare da quel canto stonato di sirene, sarebbe invecchiato sui banchi della sua aula. Non contento infine aveva avuto quella bella pensata: invitare il Lombroso stesso a tenere una conferenza, lusingandolo con una lettera intrisa di adulante ammirazione, trappola dentro la quale l'alienista era cascato senza nulla sospettare, incantato dal prèstigio di quella università. Avuta l'accettazione, il Despirati aveva selezionato e ben preparato l'uditorio: i partecipanti erano stati cooptati su invito, personale e non trasferibile. Tra di essi poi aveva selezionato alcuni fedelissimi, mine umane vere e proprie, carogne senza pari disposte a tutto pur di compiacere il professore che lo stesso Despirati aveva istruito, suggerendo interventi e domande.

«Faremo un bel tiro al piccione!» aveva dichiarato il Despirati fregandosi le mani.

I cecchini deputati a formare la linea di fuoco cominciarono a prendere posizione dentro l'aula magna attorno alle diciotto e trenta, il Despirati voleva verificare che fossero pronti, non ci fossero defezioni e ciascuno avesse ben presente il compito assegnato.

Cesare Lombroso doveva essere lasciato libero di parlare per un po', una ventina di minuti circa. In quell'arco di tempo doveva avere tutto l'agio di introdurre e spiegare i criteri che sostenevano le sue deliranti conclusioni e illudersi di essere di fronte a un uditorio attento e interessato. Solo a quel punto bisognava aprire il fuoco: un colpo alla volta, sparato senza fretta e senza abbatterlo. Da quell'aula magna l'alienista torinese doveva uscire onusto di vergogna e ferite non mortali poiché l'eco che sarebbe conseguito alla figuraccia fatta faceva parte del piano predisposto dall'arcigno professor Despirati.

45.

Alle sette della sera era pronto in tavola in casa della Serpe.

Una marmitta piena di insalata amara, foglie di tarassaco dure e pelose, un filo d'olio, un tocco di formaggio che avrebbe potuto raccontare l'alba dell'umanità.

Due uova non ci sarebbero state male, mormorò l'Arcadio.

«Se non ci sono non ci sono», ribatté la Serpe.

Se suo marito aveva fame, quello c'era da mangiare, se no...

«Se no?» fece l'uomo, pronto al litigio.

La Serpe fu lì per rispondere qualcosa, bussarono alla porta.

«Chi sarà?» sussurrò la donna.

La Perseghèta.

«Si può?» disse.

Permesso o no, l'eco del suo bussare non si era ancora spento e lei era già dentro.

Lo sapevano anche i sassi che uova e compagnia bella per la tavola del rettore venivano dai poderi del rettorato, per contratto. E se non finivano su quella tavola andavano su quelle spesso deserte delle famiglie più disgraziate della frazione.

In ogni caso, andassero a finire dove il rettore decideva, i patti erano quelli, da secula seculorum. E chi veniva meno ai patti faceva San Martino.

«Cerco un paio di uova», disse la Perseghèta.

Meglio ancora quattro. Per quella sera aveva promesso a suo marito una bella frittata con le cipolle, ma era rimasta senza.

L'Arcadio fece per rispondere.

La Serpe lo bruciò sul tempo.

«Anche noi», disse.

Quelle poche che le galline avevano fatto, forse perché anche loro avevano sentito il trambusto in preparazione delle celebrazioni del miracolo, le aveva date al rettore.

L'Arcadio voleva dire la sua.

«Come tutte le creature di Dio, anche le galline...» cominciò.

46.

Le galline, appunto.

Il primo dei cecchini si chiamava Domenico Spazziati, era alto, nero di capelli e con tanta di quella forfora in capo che sembrava avesse ancora la crosta lattea.

A lui toccò tirare in ballo quella storia.

«A proposito di galline», disse esordendo.

Gran parte dei presenti si voltò verso di lui.

Cosa c'entravano le galline?

Era quello che anche lo Spazziati voleva sapere. Faceva riferimento agli studi che Lombroso aveva effettuato sulle cause della pellagra: convinto che la malattia dipendesse dal mais guasto provocando nell'uomo danni simili a quelli che produceva nelle galline, l'alienista ne aveva cercato conferma visitando aree contadine e portandosi appresso, oltre alla figlia Gina che teneva registro dei dati che lui riferiva, un paio di polli spelacchiati, prova vivente delle sue intuizioni.

Non era quantomeno anomalo che uno scienziato si esponesse al ridicolo in quel modo, mettendo in cattiva luce la categoria cui diceva di appartenere?

«E perché non interrogare direttamente il pollo?» saltò su a dire uno. «Magari facendolo parlare nel corso di una bella seduta spiritica!»

La risata che salì dall'uditorio si interruppe a metà.

«Fuori!» si udì dalla voce severa del professor Despirati il quale, alzatosi in piedi, protendeva il braccio verso l'imbecille che aveva parlato.

Ubbidiente, a capo chino, quello eseguì l'ordine.

Né poteva fare altro, poiché anche quella era una mossa concordata.

Il Despirati tornò a sedere accanto all'alienista.

«Scusatelo», disse. «E scusatemi.»

«Figuratevi», rispose il Lombroso.

Ma ormai l'argomento clou era stato tirato in ballo, spiritismo e sedute spiritiche. E prima che Lombroso potesse riprendere a parlare c'erano già un paio di braccia alzate che chiedevano diritto di parola.

Intervenne ancora il Despirati: carogna, mise alla prova la disponibilità dell'alienista.

«Le domande solo alla fine», disse. «A meno che il nostro ospite non sia così gentile da accettarle subito.»

Come si poteva non essere così gentili?

«A me sta bene», disse infatti Lombroso.

Prese la parola Elmo Incaricati, il secondo cecchino: rubizzo, barbuto e occhialuto. Pareva più un macellaio che non uno studente di neurologia. Si dichiarò un fedele seguace degli studi lombrosiani.

Però, però...

«In un certo senso», disse, «non so più a quale Lombroso credere.»

A quello che si era dichiarato acerrimo nemico dello spiritismo, al punto di giungere a deriderlo nel suo libro sull'ipnotismo oppure a quello che, dopo aver assistito a una seduta spiritica, aveva scritto testualmente...

L'Incaricati, creando attesa nell'uditorio, si frugò un po' nella tasca della giacca fino a quando trovò ciò che cercava.

«Testualmente», riprese spiegando un foglio di carta, e citò. «Sono molto dolente di aver combattuto con tanta tenacia la possibilità dei fatti così detti spiritici, di cui ormai ho constatata l'esistenza.»

Dai presenti si levò un «ooooh!» di stupore, come se quella dichiarazione fosse una vera sorpresa.

«Se permettete», disse a quel punto Cesare Lombroso, rosso in viso, rivolgendosi al Despirati.

«Prego», rispose questi.

«Ogni scienziato che si rispetti, che sia degno di questo nome», cominciò a dire l'alienista, «non può dimenticare il vero mentore del suo ricercare, il dubbio, e sempre dubitare delle sue certezze. La verità spesso si nasconde...»

Preso dalla foga per la difesa della sua posizione, Lombroso non si avvide di ciò che il Despirati fece. Né avrebbe potuto anche se avesse avuto uno sguardo da beccaccia. Il maligno neurologo chinò appena la testa di lato e, subito, dal fondo della sala si alzò un canto modulato su un'arietta lirica.

«Par che la Palladino...»

L'alienista si bloccò, impallidendo.

Era al corrente, la figlia Gina soprattutto l'aveva informato più volte, che il suo essersi schierato a favore dello spiritismo con quello che era stato definito un salto della quaglia, l'aveva fatto diventare per alcuni il bersaglio preferito di barzellette, battute e anche canzonette. Lui aveva sempre reagito con dignità.

Non ti curar di lor...

Era la prima volta, quella, in cui prendeva atto personalmente di ciò che la figlia gli aveva più volte raccontato.

«Par che la Palladino...»

Altre voci si unirono al solista.

«Par che la Palladino
Sotto il suo tavolino
Possa resuscitare
L'attrezzo per amare.»

Le fauci secche, il viso smorto, Cesare Lombroso guardò il Despirati che nonostante la fissità dello sguardo e l'assenza di mimica non riusciva a contenere la soddisfazione. Solo allora gli venne il sospetto di essere caduto in una trappola. Si alzò dalla sedia e bastò quello a far cadere nella sala un silenzio di morte.

47.

La Gina si era accomodata nello studio del genitore per compilare la relazione che avrebbe spedito l'indomani mattina, con il servizio postale espresso.

Scritta e letta, riscritta e riletta.

Non voleva che suo padre perdesse tempo a leggere, aveva cercato di concentrare nel minor numero di parole informazioni e ipotesi concordate con l'Ottolenghi e aveva soprattutto cercato di dare spazio alle sue parole tenendo per sé i propri pensieri. Ma per quanto se lo fosse imposto non era riuscita a tralasciare qualche accenno personale che riguardava sia il caso sia l'atteggiamento dell'Ottolenghi. L'amico e assistente di suo padre era infatti quasi divenuto misterioso dopo l'ispezione della lesione che lei gli aveva fatto notare, con quella particolare forma a triangolo. Probabile che non avesse significato oppure che non la ritenesse importante. Però poi l'aveva intrattenuta sul bigliettino ritrovato nella tasca della giovane, quel pezzo di carta sul quale erano tracciati degli scarabocchi.

Ecco, parlando di quello l'Ottolenghi aveva cercato di contenere una certa emozione ma c'era riuscito solo in parte. Il rossore che gli era salito alle gote, certe pause nell'esporre, come se gli venissero a mancare le parole quando solitamente invece aveva un eloquio fluido e composto, l'avevano tradito.

Più di ogni altra cosa, a mettere sull'avviso la Gina era stato il leggero tremore con il quale l'Ottolenghi aveva preso il bigliettino che lei aveva trovato nella tasca della giovane morta e il malumore che non era riuscito a contenere e che però le aveva subito spiegato.

L'altro bigliettino, quello trovato addosso al cadavere della cameriera, quello così simile a questo...

«L'ho buttato...» aveva ammesso quasi contrito.

«Ma cos'era?» aveva chiesto Gina Lombroso. «Cosa significa, se mai un significato ce l'ha?»

L'Ottolenghi aveva scrollato le spalle.

Poteva essere qualunque cosa, alcuni segni, magari il frammento di un conto, o qualcosa del genere...

«Possono essere anche semplici segni tracciati a caso», aveva detto Salvatore.

Ma ai suoi occhi assumevano ben altro significato.

«Cioè?» aveva chiesto la donna.

L'Ottolenghi, a quella domanda, si era come ritratto in sé stesso. Alla Gina era sembrato che si fosse messo sulla difensiva.

In effetti era stato così.

Salvatore Ottolenghi aveva temuto di essersi già spinto troppo oltre, di essere venuto meno al segreto che si era imposto circa le idee che da tempo andava covando, pur se stava di fronte alla persona con la quale aveva una confidenza che spaziava un po' dappertutto. E poi, pur avvertendo di aver sottomano qualcosa di quantomeno strano e misterioso, non poteva giurare che fosse così: cioè, che due pezzettini di carta su cui erano scritti simboli matematici potessero significare un collegamento tra quelle due donne morte.

E che, addirittura, dietro quei due cadaveri ci fosse lo stesso assassino.

Se doveva uscire allo scoperto, doveva farlo con solide prove a sostegno delle sue teorie: una volta pubblico, il suo progetto doveva diventare realtà.

«Cioè...» aveva risposto. «Mi sembra prematuro parlarne, avanzare qualunque ipotesi prima di avere un confronto con vostro padre.»

La Gina aveva sorriso.
«Se quello zuccone mi avesse dato retta sarebbe qui al mio posto adesso.»
Pure l'Ottolenghi aveva sorriso.
«Da qui non scappa nessuno», aveva detto.
La cosa importante era informare quanto prima il suo maestro. E, se riteneva che la cosa potesse avere un qualche interesse, vedesse anche lui quel secondo cadavere.
«Vi chiederei la cortesia di informarlo con rapidità», aveva aggiunto.
Raccontandogli tutto, senza dimenticare niente.
Il dubbio sulla lesione al capo, la sua forma.
L'età della giovane, la sua condizione sociale.
Soprattutto la presenza nella tasca del vestito di un bigliettino simile, molto simile a quello già reperito, sebbene ormai andato perduto.
Il buio della sera era calato mentre Gina Lombroso, finalmente soddisfatta della relazione, stava compilando l'indirizzo ove recapitare il plico: Museo delle Scienze Naturali presso Palazzo Dugnani, a Milano, dove l'amico Paolo Mantegazza aveva invitato l'alienista in occasione dell'insediamento del nuovo direttore, il filosofo, psicologo, antropologo nonché educatore Tito Vignoli.

48.

Cosa diavolo si erano andati a inventare?

Che bisogno c'era?

Quale il vantaggio?

Malvasio Defedè era seduto nel salotto della sua casa di Como. Aspettava la minestra e gridava.

Mica per la minestra.

Piuttosto perché il giornale gli offriva notizie che per qualche ragione non gradiva o non riusciva a comprendere.

Capitava un giorno sì e uno no.

Quello era un giorno sì.

La «Provincia di Como» infatti dava conto che con Regio Decreto l'Italia si preparava ad adottare il sistema di determinazione del tempo legato ai fusi orari e che come meridiano di riferimento era stato scelto il punto in cui si incrociavano il 42° parallelo Nord e il 15° meridiano Est, prendendo il nome Termoli-Etna.

Qualcuno gli poteva spiegare cosa voleva dire?

Per la maggiore confusione del Defedè, il quotidiano riferiva che a partire dal 31 ottobre, giorno in cui la norma sarebbe entrata in vigore con una rettifica di dieci minuti dell'orario, l'ora di Termoli sarebbe stata quella del Tempo Medio dell'Europa Centrale e avrebbe regolato il Tempo Medio del Regno d'Italia.

Il Defedè maltrattò il giornale.

Cosa si erano andati a inventare, che bisogno c'era, cosa voleva dire, che vantaggi ne sarebbero conseguiti?

Forse la gente, lui compreso, avrebbe campato dieci minuti in più o in meno?

Dio, quanto gli sarebbe piaciuto avere per le mani l'imbecille che aveva firmato l'articolo e che probabilmente ne capiva tanto quanto lui, tant'è che della stessa notizia riferita s'era ben guardato di spiegare il senso.

«Imbecille!» gridò, appallottolando il foglio e facendolo volare alle spalle.

«Cosa c'è?» chiese la moglie Albarella entrando in salotto minestra in mano.

Conosceva bene le furie del marito e non tollerava il benché minimo disordine in casa.

"Cosa c'è", mormorò tra sé il marito mentre la donna raccoglieva da terra il giornale.

Ma cosa ne voleva sapere!

«Non è cosa di donne», rispose lui.

E poi: «Ti siedi o no?» aggiunse visto che l'Albarella stava dando un'occhiata al giornale che aveva raccolto e ricomposto.

Al Defedè piaceva che le forme venissero rispettate. Sia nel suo ufficio presso la Camera di Commercio e Arti nel quale era responsabile del Comizio per la Stagionatura e Assaggio delle sete sia in casa.

Ma non gli piaceva che la minestra si raffreddasse e meno ancora gli piaceva che sua moglie, le donne in genere in verità, leggessero i giornali e magari andassero a ficcare il naso nella politica.

«Non stare a perdere tempo con quelle fregnacce», ordinò.

L'Albarella tirò su col naso, commossa. Poi, gli occhi un po' arrossati, si sedette permettendo al marito di cominciare a lappare la minestra, ogni cucchiaiata un risucchio, mentre lei rimase con la posata in mano fino a quando il Malvasio si decise a chiedere cosa diavolo avesse.

«Niente», rispose l'Albarella.

Una cosa che aveva letto sul giornale.

Ecco, Malvasio Defedè diede subito segni di nervosismo. Che diavolo di risposta era quella?

Depose il cucchiaio e incrociò le mani sul ventre.

«Ho chiesto cosa c'è», ripeté.

L'Albarella guardò il marito prima di rispondere.

Meno male che non poteva leggerle nel pensiero.

Perché in quel momento la donna si trovò a riflettere che suo marito aveva proprio una faccia da cretino. Con tutte quelle rughe sulla fronte come righe di un quaderno di scuola lungo le quali erano scritte sentenze che offriva intorno a tutte le cose del mondo.

L'opera lirica.

La letteratura.

La politica.

«Allora?» la incalzò l'uomo.

L'Albarella lo informò, così il Malvasio aggiunse nuovi motivi a quelli che già aveva per pensare che la mente femminile fosse davvero inferiore a quella del maschio.

«Ma dico io...» sbottò.

Poteva una persona normale commuoversi per la morte di un'altra della quale sino a cinque minuti prima ignorava l'esistenza?

Stando così le cose, sorrise il Defedè, bisognava passare tutta la giornata, tutto l'anno, tutta la vita in lacrime visto che ogni minuto secondo, da qualche parte sulla terra, qualcuno moriva!

O no?

«D'accordo, però...» tentò di interloquire la donna tirando su col naso.

«Però, cosa?» le saltò in testa il marito.

Perché era una pooovera fioraia torinese, vedova, il cui marito era morto in una miniera del Belgio, riconosciuta grazie alla figlioletta ottenne, adesso destinata a essere consegnata a qualche brefotrofio dal quale sarebbe uscita per entrare in convento oppure a servizio in qualche casa di signori...

«Se non peggio», osservò l'Albarella.
«Eccolo lì il romanzaccio bello e fatto!» replicò l'uomo.
Ma non si rendeva conto sua moglie?
Non capiva che era estate, le notizie vere languivano, le pagine bianche dei giornali andavano comunque riempite e per farlo i signori giornalisti ricorrevano a ogni stratagemma, da quell'idiozia dell'ora di Termoli a quelle notizie strappalacrime...
«Che chissà poi se sarà vera», osservò il Defedè.
«Può esserci qualcuno così malvagio da inventarsi notizie di tale genere?» chiese la donna.
«La stupidità dell'uomo non ha confini», sentenziò il Defedè senza immaginare quanto la moglie fosse d'accordo con lui.
«In ogni caso sul giornale c'è scritto che il corpo è stato rinvenuto da un operaio della società elettrica, ed era già freddo», disse l'Albarella.
Il Malvasio sbuffò, non aveva più voglia di contrastare la cocciutaggine di sua moglie.
«Freddo, eh?» fece.
Come la sua minestra.

49.

Il portiere dell'hotel San Genesio quasi non lo riconobbe.

Poche ore prima aveva visto uscire un uomo eretto, compito, elegante e pallido d'intelligenza.

Vide rientrare quello stesso uomo ma scomposto, rosso in viso, il colletto della camicia slacciato, e gobbo come se avesse mal di schiena.

In più, quando gli chiese a che ora pensava di scendere per la cena quello: «Macché cena!» rispose.

Mal di testa, un calore diffuso dappertutto, massimamente in viso, lo stomaco come se avesse ingerito cocci di vetro, ma senza masticare.

Altro che cena, pensò Cesare Lombroso rientrando nella sua camera d'albergo.

Vestito com'era si buttò sul letto, senza accendere la luce, lo sguardo fisso al soffitto percorso da venature come vene varicose.

Il portiere dell'albergo ci pensò su una bella mezz'ora prima di decidersi a interpellare il direttore.

Alla fine lo fece.

Si presentò nell'ufficio della direzione con l'imbarazzo di dover spiegare che non aveva certezze ma solo sospetti.

Dopo due, tre false partenze, il direttore perse la pazienza.

«Volete calmarvi per favore e dirmi cosa diavolo succede?»

«Niente», rispose il portiere dell'hotel San Genesio.
Aggiunse che si era sbagliato.
E senza indugiare oltre, girò i tacchi e uscì.
Il direttore rimase di stucco. Si confermò in ciò che aveva pensato al momento dell'assunzione, peraltro caldamente raccomandata da un sacerdote pavese cui non aveva potuto dire no.
Cioè che quell'uomo fosse un imbecille, se dalla nascita oppure per questioni di malattia infantile o forse per abuso di alcol, non poteva dirlo.
Ma sul fatto che lo fosse non aveva dubbi di sorta.
D'altronde, checché se ne dicesse, bastava guardarlo in faccia per convincersene.
Soprattutto quando veniva notte.
E ormai era notte.
Cioè, non proprio notte notte.
Tra il chiaro e lo scuro.
Più scuro che chiaro.
E, quando veniva scuro, il portiere del San Genesio ci vedeva poco e male, per non dire niente del tutto.
Emeralopico senza saperlo, non aveva mai detto a nessuno di quel suo difetto di vista per evitare che lo si pensasse affetto da chissà quali malattie pericolose per la salute altrui.
La moglie non lo sapeva. Così che quando lui rientrava col buio dopo il lavoro e gli capitava di topicare qua e là, lo prendeva per brillo o decisamente ubriaco, senza che il poveretto osasse obiettare il contrario. Men che meno lo sapeva il direttore dell'hotel che lo aveva assunto, insinuando però in lui, stante la lentezza con la quale il portiere si muoveva per evitare di inciampare o peggio, che avesse qualche tara congenita oppure acquisita bevendo o frequentando puttane.
A dispetto di tutto però il portiere cercava di ovviare al suo inconfessato difetto sfruttando al massimo gli altri sensi e, quando la notte calava, sgranando al massimo gli

occhi, col che assumeva un inquietante aspetto ma riusciva a percepire qualche ombra.

Come quella che intravide mentre usciva dall'hotel per tornare a casa.

L'atteggiamento era quello di un uomo in fuga e se stava fuggendo era perché aveva commesso qualcosa di criminoso: l'aspetto affannato e sconvolto che gli aveva visto al rientro poteva ben confermare un sospetto del genere.

Il portiere rifletté un istante circa il da fare.

Inseguirlo?

Con quella vista da talpa, nemmeno da dire.

Una sola cosa gli restava.

Tornò sui suoi passi, rientrò in hotel e, con delicatezza, bussò alla porta dell'ufficio del direttore.

50.

Non proprio notte notte, neanche le dieci, una vaga luminosità del giorno appena finito ancora presente nel cielo sopra la Svizzera.

Per il Defedè però era già notte notte, notte vera. Per cui, da ormai quasi un'oretta, dormiva sul divano del salotto. Seduto, come da raccomandazione del dottor Porterà, affinché la digestione si compisse secondo natura, qualunque cosa avesse mangiato, anche una minestra quasi fredda com'era accaduto quella sera.

Notte notte quindi, per lui.

E allora, chi diavolo usava il martello a quell'ora, svegliandolo?

Aprì appena una fessura di occhi.

Poteva anche averlo sognato quel rumore. Vide sua moglie Albarella che si stava avvicinando.

Ascoltò.

Nessun rumore.

La voce di sua moglie piuttosto.

«Malvasio...»

L'uomo rispose.

Grugnì.

E serrò gli occhi.

«Hanno bussato», disse la donna.

A quell'ora di notte?

«Chi?» chiese lui.

L'Albarella si sottrasse all'ovvio: se avesse aperto lei avrebbe potuto dire chi.

Con un verso, mezzo sospiro e mezzo gorgoglio di catarro, il Defedè fece intendere alla moglie di aver capito cosa voleva da lui. Quindi aprì gli occhi e li roteò intorno, come se dovesse verificare di essere ancora nella propria casa: l'odore di minestra e un orribile ritratto di suo padre, una crosta a firma di certo Margalli, glielo confermarono.

L'Albarella, il marito lo sapeva, aveva paura dei ladri.

Si alzò dal divano infine, scricchiolando di concerto con il parquet e si avvicinò alla porta.

«Chi è?»

«Io», fu la risposta.

Il Defedè aveva fatto la voce grossa chiedendo.

Chiunque ci fosse stato dietro quel legno doveva capire che lì dentro non si scherzava, ci pensasse bene quindi prima di varcare la soglia.

Aveva risposto prima il barboncino della Stupinati, la vedova allegra che abitava nell'appartamento di fianco.

Poi era arrivata quella risposta.

«Io.»

Il Defedè allora sorrise tra sé.

C'era da aspettarselo.

Da tre sere, forse quattro non si faceva vivo.

Aprì quindi e si trovò faccia a faccia con quello che si aspettava: odore di disinfettante, la solita frase, «Scusate il disturbo», il giovanotto che abitava nell'appartamento di fronte e che piaceva tanto a sua moglie.

Bello, magro, simpatico.

Il fidanzato e marito ideale per una figlia che invece aveva preferito il convento.

Per il Malvasio era un sognatore, sconsiderato e inconcludente.

Abitava con i genitori.

Al momento però solitario, avendo rifiutato di seguire mamma e papà per un soggiorno marino in quel di Bordighera.

Non mancavano prove al Malvasio per giudicarlo uno svanito di conio, gliele forniva lo stesso giovane, ogni due o tre sere quando, dovendosi preparare qualcosa per cena, si trovava in difetto di olio, pane, sale, zucchero.

«E cervello!» commentava il Defedè.

«Poverino», replicava l'Albarella.

Che aveva anche tentato di giocare la carta di tenerselo a cena per la durata di quel periodo: ne sarebbe stata felice, avrebbe sognato guardandolo e perdendosi in fantasie su ciò che avrebbe potuto essere se la figlia non avesse preso la via del convento e su ciò che invece non era.

Ma il Malvasio aveva detto no.

Fermamente, no!

Senza immaginare che pure il Politti, fosse stato al corrente dell'idea dell'Albarella, avrebbe risposto no altrettanto fermamente, poiché la prosopopea del padrone di casa lo infastidiva.

Quindi, pane, zucchero, olio o sale?

Di cosa diavolo aveva bisogno il giovanotto quella sera?

Un paio d'uova, forse?

Il Malvasio scommise tra sé, e perse.

51.

«Chi è?» chiese Cesare Lombroso dopo che ebbe sentito bussare più volte.

Una volta rientrato nella sua camera d'albergo, si era buttato sul letto, immobile e ripassando minuto per minuto tutte le fasi dell'umiliante incontro del pomeriggio, sballottato tra lo sconforto e la rabbia e preda di un calore che a un certo punto gli aveva fatto sospettare di avere la febbre.

Aveva pensato di chiedere in prestito un termometro a qualcuno dell'hotel ma nel momento in cui s'era deciso ad alzarsi per scendere una specie di sonno gli aveva chiuso gli occhi, riaperti dopo che il direttore dell'hotel, prima con discrezione, poi con sempre maggiore forza e rabbia aveva bussato.

Alla domanda dell'alienista, prima di rispondere il direttore si era girato a guardare il portiere.

La camera era occupata, l'ospite presente!

Idiota!, gli disse con il solo sguardo.

Adesso cosa andava a inventarsi, come giustificava il fatto di averlo disturbato?

«Sono il direttore dell'hotel e...»

La porta si aprì.

Lombroso offrì ai due la vista di un viso inquietante sotto una testa di capelli scompigliati.

«Vi ho chiamato io?» chiese.

Il direttore era curioso di sentire quali parole gli sarebbero uscite dalla bocca dopo quelle usate per presentarsi.

Attese solo un istante, giusto il tempo per elaborare un piano. Poi, da uomo di mondo, abituato ad avere a che fare con gente di tutti i tipi, rispose: «Sì», con invidiabile sicurezza.

Tanto per dare forza alla sua affermazione aggiunse: «E mi scuso per il ritardo».

L'alienista disse che non importava.

Si scusò a sua volta anzi.

«Non mi sento molto bene, devo averlo fatto in un momento di poca lucidità. Avrei solo bisogno di un termometro poiché temo di avere un poco di febbre.»

Al sentir parlare di febbre, il direttore dell'hotel si ritrasse di un passo.

«Ve lo mando immediatamente», disse poi, chiudendo da sé la porta mentre dalla bocca di Lombroso stava uscendo la domanda circa l'eventuale disponibilità in hotel anche di un poco di chinino, per quanto, in un posto del genere, ci avrebbe scommesso, non c'era di sicuro.

52.

Scommessa persa.
Niente sale, pane, zucchero, olio.
Nemmeno uova.
Il giornale.
«Mi fareste dare un'occhiata al "Corriere della Sera"?» chiese Umberto Politti.
Il «Corriere della Sera»?
E cosa c'era che non andava bene nella «Provincia di Como»? chiese Malvasio Defedè.
Non era abbastanza nobile?
Non era scritta in italiano anche lei?
«No, figuratevi, pensavo che...» lasciò in sospeso il giovanotto.
Era convinto che quel trombone del suo vicino di casa leggesse il «Corriere», tutto lì.
Contro la «Provincia di Como» non aveva niente. Temeva solo che la notizia orecchiata durante la mattina sul quotidiano locale non comparisse.
«Ma accomodatevi», cinguettò alle spalle dei due l'Albarella.
Non si teneva un ospite, un così bell'ospite tra l'altro, sulla porta di casa.
Il Defedè cedette con malcelata irritazione all'insistenza della moglie.
Il Politti entrò e andò a sedersi sul divano ancora caldo delle terga del Defedè. Era rosso in viso, lo imbarazzava la più che evidente simpatia che suscitava nell'Albarella.

Il Malvasio si sedette di fronte a lui, a malincuore, non amava le sedie.

«E allora?» chiese, cercando di provocare una rapida soluzione della visita.

Il giovane sprecò ancora qualche parola a difesa della «Provincia di Como», non aveva niente contro quel giornale. Temeva solo che non riportasse nulla che avesse a che fare con ciò che aveva orecchiato quella mattina e pensava che invece il «Corriere» stante l'importanza del fatto, benché abbastanza singolare...

«E sarebbe?» lo interruppe il Defedè.

Il rossore del giovanotto si fece più intenso. Un imbarazzo che aveva messo in preventivo per la reazione del padrone di casa non appena gli rivelò la notizia.

«Barbabietole da zucchero?» sbottò infatti il Malvasio.

Non solo quelle, toccò specificare al Politti. Anche cetrioli, piselli, pomodori mais e tabacco.

«Vi hanno forse trasferito presso il Consorzio Agrario?» chiese il Defedè.

L'Albarella fu lì per insorgere contro la maleducazione del marito.

La precedette il Politti.

No.

No, vecchio cane rognoso.

Lavorava sempre, ancora, presso la casa di riposo Santa Geraldina d'Inghilterra, a Brunate. I buoni uffici di suo padre gli avevano trovato quel posto che però al giovanotto aveva cominciato a diventare stretto abbastanza in fretta. Al Santa Geraldina si ricoverava di tutto, purché qualcuno pagasse la profumatissima retta. Quale medico, Umberto Politti si sentiva degradato da un lavoro che gli consentiva di fare il cameriere oppure la dama di compagnia o altro ancora, tranne ciò per cui aveva studiato. Alla prima occasione ne sarebbe evaso. Per il momento non poteva fare altro che mantenere viva la mente seguendo passo passo i progressi della scienza, senza perdere le occasioni. Come era successo quel giorno quando aveva sentito due suoi colleghi parlare, ridendone, di un articolo riferito a certe «particelle filtrabili» in grado di causare malattie nelle verdure citate e il conseguente pericolo di trasmetterle anche all'uomo.

«Non mi pare di aver letto niente del genere», borbottò il Defedè rinunciando a causa del sonno incombente a dichiarare quanto non sopportasse le barbabietole.

Meglio chiudere lì questione e visita, e beccare il letto.

Prese il giornale che l'Albarella aveva ben lisciato e deposto su un tavolino e lo diede al giovanotto.

«Tenete», disse, ricacciando la tentazione di dire qualcosa circa le malattie dei piselli.

L'Albarella lo accompagnò alla porta.

«Avete bisogno di qualcosa per la vostra cena?» gli chiese sulla porta di casa.

«Ho già cenato, grazie», rispose l'Umberto.

Bugia.

Ma ci mancava che l'invitasse, già che era lì, a mangiare qualcosa, e magari sotto gli occhi del vecchio trombone.

Bugia veniale, non aveva cenato.

E, dopo aver letto il giornale, non cenò più del tutto.

53.

Non era del tutto in sé quella ragazza, rifletté Giuditta Carvasana una volta in camera sua e messasi alla finestra a respirare un po' dell'aria profumata di lago.

Ripensava non senza qualche brivido a ciò cui aveva assistito poco prima. Quando, dopo una cena silenziosa durante la quale la Birce aveva sì e no piluccato dal piatto proprio come una gallina, e un dopocena che aveva cercato di allietare ascoltando l'*Edgar* di Puccini, aveva deciso che era venuto il momento di chiudere quella strana giornata e coricarsi.

Bene, alle sue parole la Birce si era alzata dalla poltroncina del salotto sulla quale l'aveva fatta accomodare per ascoltare l'opera e s'era avviata.

Così, di botto.

Aprendo gli occhi, che fino a quel momento aveva tenuto chiusi tanto che lei aveva pensato che si fosse addormentata, e partendo alla volta delle scale che portavano al secondo piano.

Nessuna risposta.

La Birce s'era incamminata lentamente, lei dietro, avvertendo un senso pieno e misterioso di inquietudine.

Come comportarsi?

S'era limitata a guardarla salire, un gradino dopo l'altro.

La Birce camminava come se fosse attaccata a un filo, lenta e rigida, il capo ritto e immobile, non guardava i gradini.

Seguiva qualcosa, aveva pensato la Carvasana, e in quel momento aveva cominciato a provare un po' di paura, a sentire di essere davvero sola dentro quella villa enorme di cui non conosceva la storia, la vita che l'aveva abitata prima di lei. Aveva desiderato, adesso, che qualcuno fosse stato lì, il Cressogno o la Palladino non importava.

Qualcuno, che l'aiutasse a mantenere lucida la sua coscienza, le impedisse di farsi sopraffare dai fantasmi dell'immaginazione.

La Birce aveva raggiunto il secondo piano. All'inizio del corridoio s'era fermata. Nemmeno il più piccolo rumore nell'aria, tranne il respiro stentoreo della giovane, come se avesse appena concluso una salita improba per le sue forze.

Poi s'era avviata strisciando quasi i piedi sul pavimento. La Carvasana era rimasta ferma a guardarla. Aveva paura. Il corridoio era immerso nel buio, sembrava che a un certo punto sparisse. La Birce era avanzata con lentezza, aveva superato l'ingresso della sua camera. La padrona di casa era stata lì per chiamarla ma s'era bloccata quando la giovane aveva abbandonato la rigidità con la quale si era mossa sino ad allora per inginocchiarsi e piegarsi sino a toccare il pavimento con la fronte: alla Carvasana era sembrata la stessa posizione di un musulmano in preghiera.

Poi, rimessasi in piedi, la Birce aveva fatto dietro front ed entrambe erano entrate nelle rispettive camere da letto, la Carvasana resistendo alla tentazione di chiudersi a chiave.

54.

Trac trac, due giri decisi e la chiave lasciata nella toppa.

Cesare Lombroso aveva risolto di fare così, chiudersi in camera a doppia mandata per poter dormire, sempre che ci fosse riuscito dopo il tremendo pomeriggio, in sicurezza.

Cosa avesse da temere, non lo sapeva nemmeno lui.

Fantasie di inimmaginabili tranelli, di preciso non lo poteva dire. Ma sentiva attorno a sé un'aria malsana, un malvolere che lo portava a diffidare di tutto e di tutti.

Paranoia?

Boh!

Se non lo sapeva lui...

La febbre non c'entrava, l'aveva misurata, non ne aveva nemmeno una lineetta.

Paranoia allora?

Forse.

Non del tutto, un pochetto, appena appena.

La Gina, rifletté l'alienista cercando di dare un senso alle crepe che ornavano il soffitto della stanza, se le avesse dato retta!

Ma non era mai troppo tardi.

55.

Per i pesci, lucci, anguille, trote di lago eccetera, mai.
Mai troppo tardi per loro, quando avevi una fiocina in mano e una notte del genere sopra la testa.
Anzi.
Quella magnifica notte d'agosto, cielo sereno di miliardi di stelle, lago piatto che mormorava appena, era l'ideale per una pesca che avrebbe sfiorato il miracoloso.
Il pescatore Minutoli fiocinava come una mitragliatrice, erano mesi che non gli andava così di lusso, canticchiava felice.
Oltre a una barca piena di pesce, avrebbe portato a riva una notizia degna di tener desta la fantasia dei suoi soci per l'intera mattina: la finestra di villa Alba illuminata sino alle prime ore del nuovo giorno.
Mai successo prima!
Certo, qualcuno avrebbe potuto obiettare che magari la nuova padrona poteva essersi dimenticata di smorzare il lume e bell'e finito il mistero...
E lui avrebbe ribattuto che non poteva essere così, pensò il Minutoli quando vide scomparire la luce dalla camera di Giuditta Carvasana.
Finestre che si aprivano e si chiudevano senza una regola, luci che stavano accese sino a tarda notte... quella villa così lontana dal paese e della quale non si conosceva nulla o molto poco... men che meno chi l'abitasse, se fosse una sola persona come si diceva o più d'una, e perché fosse, o fossero, capitate proprio lì, e perché non u-

scissero mai dai confini di quelle mura, perché non si facessero vedere in paese come tutti i cristiani...

Ce n'era abbastanza per alimentare mistero e chiacchiere.

E se poi non ci fosse stato niente di vero, amen.

L'importante era aver qualcosa da dire per occupare gli spazi morti della giornata, pensò il Minutoli fiocinando un ultimo luccio.

Qualcosa che sorprendesse, lasciasse a bocca aperta.

56.

O qualcosa che togliesse appetito e sonno, come accadde a Umberto Politti dopo aver letto la «Provincia» passatagli dal caprone suo vicino di casa, restando sveglio l'intera notte a leggere, rileggere e pensare.

Il farmacologo torinese Angelo Mosso aveva proprio ragione: gli stati emotivi di varia coloritura erano in grado di modificare ampiezza e frequenza del polso, a significare variazioni nell'afflusso di sangue al cervello, proprio come era successo a lui, letta quella notizia sul giornale.

Sonno e appetito spariti.

Pazienza.

Meglio così, anzi, per la fame soprattutto poiché da solo era appena capace di scaldarsi un po' di latte.

Era vero allora ciò che il varicoso professor Armandola, direttore dell'istituto Santa Geraldina, aveva mormorato con disprezzo: Eusapia Palladino, e non Eusa Pia come erroneamente citava la prima riga dell'articolo, era in città, a Como.

Parlandone con il suo alitoso aiuto, il dottor Porosi, l'Armandola aveva commentato che fosse dipeso da lui non l'avrebbe nemmeno fatta entrare in città o le avrebbe dato il foglio di via.

«Gentaglia siffatta disonora la scienza.»

L'ovino Porosi s'era detto d'accordo.

Pure lui, in verità, aveva fatto un mezzo cenno di assenso. Guai contraddire un'ignoranza così sicura di sé. Più volte Umberto Politti s'era chiesto dove l'Armandola avesse studiato, su quali testi, come avesse fatto a prendersi una laurea in medicina.

Lezioni di bon ton, ecco, di quelle ne aveva frequentate a iosa, visto che il suo lavoro consisteva nel ricevere i parenti dei ricoverandi e trattare con loro il costo della retta. Il resto era affar suo e del Porosi, e nella gestione vera e propria della clinica non ci metteva mai becco.

Quieta non movere et mota quietare.

L'Armandola seguiva tale principio. Bisognava mettersi in testa che i ricoverati del Santa Geraldina erano irrecuperabili. Perciò, per il bene di tutti, il loro in primis!, era opportuno che non si agitassero mai.

La quiete ritrovata delle case da cui provenivano quei poveri idioti non doveva andare a scapito di quella grazie alla quale l'istituto andava famoso.

E soprattutto mai e poi mai illudersi, come qualche sconsiderato predicava, che si potesse sperare guarigione da simili malattie o addirittura cogliere segni di esse grazie ai quali poterle anticipare.

«Solo un cretino può sostenere che la follia si presenti alla porta della vostra casa per chiedere il permesso di entrare o accettare di uscirne senza lasciar tracce di sé!»

Il Porosi, servo muto, accettava senza condizioni le opinioni dell'Armandola. Questi allora si dedicava a lui, mente giovane e vergine, a suo giudizio sensibile a certe virosi del pensiero scientifico moderno.

L'Umberto l'aveva sempre tranquillizzato.

«Non dubitate», rispondeva.

Non doveva dubitare che lui già da tempo si era iscritto alla categoria dei cretini, secondo la classificazione dell'Armandola, e soprattutto che alla prima occasione avrebbe mandato sul fico lui, il Porosi e con tutto il rispetto anche la Santa Geraldina che garantiva per loro.

E forse l'occasione tanto attesa, da prendere al volo, era arrivata, rifletté Umberto Politti la mattina dell'8 agosto 1893.

57.

Il cielo sopra Bellano mostrava qualche nuvoletta sfrangiata quella mattina.

Immobili, chiamavano vento.

Ci si poteva preparare a qualche bella sfuriata. Oppure, chi lo sapeva, anche a qualche bel temporale.

Tra le due cose, meglio la seconda, un po' di pioggia, dopo una stagione quasi sempre secca.

Pure il lago ne avrebbe guadagnato perché adesso faceva schifo. C'erano rive così asciutte che si poteva fare una passeggiata dalla Calchera fino alle Tre Madonne.

Volendo anche più in giù.

Giuditta Carvasana si svegliò e si accorse di avere ancora addosso i vestiti della sera precedente.

Si era addormentata così, senza rendersene conto, portata nel sonno dalla turba di pensieri che l'avevano tenuta sveglia sino a tardi guastandole il riposo.

Adesso si sentiva stanca, ancora confusa e con qualche doloretto qua e là.

Doveva alzarsi, riprendere il filo della vita, iniziare una nuova giornata.

Ma, si chiese, ne aveva voglia?

No, rispose a mezza voce.

No, per il momento.

Prima di incontrare di nuovo tutti i dubbi che erano nati il giorno precedente, e risolverli poiché così non poteva continuare, voleva pensarci ancora un poco, stando da sola.

Magari con gli occhi chiusi, così da non avere distrazioni.

Li chiuse e nel tempo di un minuto si riaddormentò.

58.

Il cielo sopra Pavia era velato come l'orizzonte.

Cesare Lombroso lo guardò dalla finestra della sua camera d'albergo. Indagò la campagna che si stendeva pianeggiante sotto i suoi occhi come se da lì dovesse venirgli la risposta su ciò che doveva fare.

La notte l'aveva trascorsa interrogandosi e adesso era il momento di prendere una decisione, Milano lo aspettava.

Appunto.

Se l'accoglienza che gli avevano preparato fosse stata pari a quella che aveva subito in quel di Pavia?

Non poteva mettere in dubbio la fedeltà dell'amico, il fisiologo e antropologo Paolo Mantegazza che l'aveva invitato a tenere quella conferenza. I due si erano scambiati parecchi attestati di stima, condividendo numerose teorie, di quelle che facevano inorridire i santi patroni dell'immobilità della scienza. Per l'alienista torinese, per esempio, i testi del Mantegazza, *Fisiologia dell'amore* e *Fisiologia del piacere*, erano due ottimi trattati di cui aveva tessuto le lodi anche pubblicamente così come pubblicamente aveva elogiato l'attività divulgatrice dello stesso, volta a migliorare le condizioni igieniche dell'intera nazione.

Però...

Le parole della figlia Gina erano risuonate a lungo nelle orecchie dell'uomo durante le ore di insonnia: il momento era delicato.

Molto delicato.

Il successo, la fama di cui godeva poteva spingere invidiosi, critici o detrattori a gesti di qualunque tipo. Anche utilizzare soggetti prezzolati, infiltrandoli nelle sue apparizioni pubbliche al preciso scopo di invalidare le sue conferenze, trascinandole nel ridicolo.

Ci voleva poco, sarebbe stato come scivolare su una buccia di banana, tutti ne avrebbero riso, pochi sarebbero corsi in suo aiuto.

Il treno per Milano era alle undici.

Scendendo le scale, Cesare Lombroso prese la sua decisione. Era uso affrontare nemici e discussioni, ma forse in quell'occasione era più opportuno seguire i consigli della Gina e fare una ritirata strategica.

Un evento inaspettato, tanto grave quanto strano, era capitato, la sua presenza a Torino nel più breve tempo possibile era indispensabile.

Ecco, avrebbe detto così all'amico Mantegazza, scusandosi di dover rinviare la conferenza e promettendo di recuperare l'impegno.

Se poi quello gli avesse chiesto cosa diavolo fosse successo di così terribile... be', aveva tutto il tempo del viaggio in treno per pensarci, decise tra sé l'alienista.

59.

Il cielo sopra il santuario di Lezzeno e le terre del rettorato era uguale identico a quello che stava sopra Bellano.

Per tutti, non per la Serpe.

Gli occhi pesti per la terribile notte appena passata, Serpe uscì di casa e si fermò un istante a guardarlo come cercandovi un segno del destino, qualcosa che le ridesse la tranquillità perduta, crudele pasto delle ore appena trascorse: lei scalciando nel tentativo di allontanare il pensiero che quella potesse essere una delle ultime notti passate con la benedizione del rettore; mugolando, invece, l'Arcadio, protesta contro quei calci di cui era stato di continuo bersaglio.

E lo vide quel segno, o così le parve, nel movimento di una nuvoletta che si disfece sotto i suoi occhi come se si fosse sgonfiata, la materia di cui era costituita dispersa in un amen nell'azzurro del cielo.

Fu un segno secondo la donna che ricordò all'istante le parole di una delle tante omelie del rettore: la vita, la nostra vita, è come nuvola cangiante, non si può mai sapere ciò che lo stesso giorno appena cominciato ci riserverà, quale sorpresa, quale dilemma. Perciò il rettore raccomandava di essere sempre pronti al peggio, così da poterla abbandonare senza troppi rimpianti e con lo spirito nelle migliori condizioni.

Il peggio, pensò la Serpe, l'aveva perseguitata per tutta

la durata della notte, e si mosse avviandosi alla volta del pollaio.

Così pensava.

Ma stava per scoprire che il peggio non aveva limiti.

60.

Di barbabietole, piselli, mais, cetrioli o altre cucurbitacee la «Provincia» non dava notizia alcuna.

C'era da aspettarselo, nessuna meraviglia.

Ben altro però Umberto Politti ci aveva trovato. Roba da perdere appetito e sonno, come infatti era accaduto.

Schiacciata in una delle pagine interne, Eusapia Palladino, per penna di anonimo cronista, annunciava il suo passaggio per quel di Como.

Il giovanotto aveva letto e riletto le quattro righe, dentro di sé esultando.

La Palladino!, mormorò uscendo di casa e dirigendosi...

Si bloccò.

I suoi passi, usi a quel percorso, lo stavano portando verso la funicolare che saliva a Brunate. Nella mente però ben altro tragitto aveva concepito sin dalla sera precedente, che lo avrebbe allontanato più che avvicinarlo al Santa Geraldina.

La «Provincia di Como» invece, la sua redazione, dove si intanava l'anonimo che aveva steso la notiziola e che probabilmente sapeva molto di più di ciò che aveva scritto.

La «Provincia» quindi, con buona pace del varicoso Armandola che non tollerando ritardi o assenze in istituto non avrebbe mancato di lamentarsene con il suo genitore.

Ma la Palladino, conoscerla, poterle parlare, non aveva prezzo, poiché voleva dire imboccare una strada senza curve verso il suo nume tutelare, cioè l'alienista Cesare Lombroso.

61.

Il fuochista Adalberto Libradini, della locomotiva 3544 della serie 350 RA, in servizio sulla linea Pavia-Milano, non permise né a Cesare Lombroso né ai pochi altri passeggeri che viaggiavano con lui alla volta del capoluogo lombardo di concentrarsi su altro che non fosse la singolare velocità del treno.

L'uomo, esaltato dalle gesta del collega Pietro Rigosi che nel luglio di quello stesso anno aveva spinto la locomotiva a quasi sessanta chilometri all'ora lungo la linea da Poggio Renatico verso Bologna, andando a schiantarsi contro un altro treno fermo sul binario e trovandovi orribile morte, meditava da tempo di emulare ed eventualmente migliorare il record del Rigosi, solo quello, per carità, e aveva scelto quella mattina per dare corso al progetto.

Come tutti coloro che usufruivano della strada ferrata per i propri spostamenti, anche l'alienista torinese gradiva la sicurezza che dava la mai eccessiva velocità del mezzo, tranne quella mattina, quando anche un neofita al primo viaggio avrebbe capito che stava accadendo qualcosa di diverso.

I sobbalzi, i rumori, gli scricchiolii e le strida delle carrozze avevano tenuto in ansia passeggeri e personale viaggiante. Più di un viaggiatore, giunto alla stazione di Milano, s'era fatto il segno della croce scendendo dal convoglio, altri avevano chiesto delucidazioni al capotreno controleur, pochi si erano spinti a vivace protesta.

Cesare Lombroso non aveva fatto parte di alcuna delle tre categorie. Sconvolto pure lui, il traumatico viaggio si sommava al disgraziato pomeriggio precedente e alla tribolata notte che ne era stata il logico seguito, aveva imboccato la via dell'uscita senza ancora una precisa idea di cosa dire all'amico Mantegazza per rinviare, forse meglio annullare, la conferenza in programma. Inventare balle, nonostante ciò che i suoi nemici dicevano di lui, non era affatto la sua specialità. Aveva bisogno di un piccolo colpo di genio, ebbe invece un colpo di fortuna.

Il Mantegazza infatti era già a Milano presso il Museo di Scienze Naturali. Dopo il favorevole riscontro della sua opera *L'arte di essere felici*, l'editore milanese Treves gli aveva chiesto di riflettere sulla possibilità di progettare una nuova ricerca. Accolse un Cesare Lombroso sconvolto, oltre che per tutto ciò che gli era accaduto nell'arco di brevissimo tempo, per essersela fatta a piedi dalla stazione sino al museo ansimando dentro un'immobile aria.

«Cos'è successo?» chiese il Mantegazza.

Non era, quello che aveva sotto gli occhi, l'alienista serio, compito, ordinato e pacato che conosceva.

Le occasioni vanno colte al volo, Lombroso lo fece.

«Non saprei da dove cominciare», rispose.

Ed era vero.

Non aveva ancora la minima idea di come cominciare per giungere a giustificare la richiesta di rinvio della conferenza.

Non ebbe bisogno di ricorrere alla fantasia.

«Ha a che fare con questo?» chiese il Mantegazza tendendogli un plico.

Gliel'aveva consegnato un procaccia, che aveva interrotto le sue sonnolente riflessioni post prandiali.

Lombroso scrutò la grafia che aveva compilato l'indirizzo, riconobbe quella della figlia Gina.

«Temo di sì», rispose, questa volta senza mentire.

Sentiva, non altrimenti avrebbe potuto definire la sua sensazione, sentiva che dentro quel plico si nascondeva qualcosa di grave, di brutto, forse di orribile.

62.

Terribile, non c'era altra parola per definire ciò che era accaduto.

La Serpe restò a lungo a guardare.

Una strage.

Annusò l'aria. L'odore di sangue era inconfondibile.

Per quanto passasse per essere una donna dura e severa, a volte troppo, sia con gli altri sia con sé stessa, le salì qualche lacrima e sentì l'animo farsi cupo.

Chiuse gli occhi e la vide.

La Perseghèta.

Non c'era fisicamente, ma la vedeva.

Rideva.

Aveva i denti neri e rari, la pelle cadente, pochi capelli grigi e scomposti in testa. Era tale e quale a come la Serpe aveva sempre immaginato che fosse dentro, sotto il sembiante.

Una strìa.

Uscì dal pollaio e si avviò per ritornare a casa. Per una volta desiderò di non incrociare i passi del rettore, non avrebbe saputo cosa dirgli, non sarebbe riuscita a scambiare con lui le solite quattro chiacchiere sul tempo e sulla campagna.

Entrò in casa, l'Arcadio era in piedi, non ancora vestito del tutto, una maglia straccia addosso, i pantaloni del lavoro che emanavano un franco odore di strame. Stava cercando qualcosa per fare colazione, qualunque cosa, un culo di salame, un pezzo di formaggio.

Un uovo!

Guardò la moglie e fece per parlare ma comprese che la Serpe era da un'altra parte benché fosse lì, sotto i suoi occhi.

«Cosa c'è?» chiese.

La Serpe, come l'Arcadio aveva previsto, sedette e non rispose.

63.

Eusapia Palladino era ormai sulla via di Como.

Il giro in Svizzera le aveva fatto bene, l'aveva rinfrancata, ridandole fiducia e quella lievità d'animo che le stava permettendo di sorridere su tutte le cattiverie che avevano detto intorno a lei e alle sue doti.

Merito delle tre consulenze, come ormai le definiva, che aveva tenuto in quelle terre.

Private, senza pubblicità.

Due tenute nella villa che la ospitava. La terza, l'ultima, presso la villa del Russo «fabbricato di mano delle fate, come occorre di leggere nelle *Mille e una notte*».

Il misterioso proprietario della villa, il Russo appunto come lo appellava la comunità luganese, aveva richiesto i servigi della medium per evocare la propria nonna che alle domande formulate aveva risposto con la lingua natia. La Palladino non aveva capito un accidente. Ma era tornata a casa dalla seduta felice poiché la gioia del Russo per la riuscita dell'esperimento era stata tale che non solo il padrone l'aveva elogiata sperticatamente ma l'aveva anche pagata il doppio del richiesto.

E pensare che prima di accettare l'invito lei aveva temporeggiato, chiesto in giro notizie circa il personaggio, raccogliendo voci discordanti che ne avevano aumentata la confusione, la paura di cadere in una trappola e, senza dubbio, anche un poco la curiosità. Chi glielo aveva descritto come un impresario di lavori pubblici, chi un arricchito grazie alla strada ferrata costruita in Russia, chi ancora le aveva garantito che fosse un ingegnere, un proprietario di miniere inesauribili o consigliere intimo dello zar di Russia. Alla fine la Palladino aveva dato retta a chi le aveva detto che del proprietario della villa in questione non si sapeva una mazza di preciso, tranne la nazionalità: russa, da cui il Russo, poiché anche sul nome c'era più di un'incertezza.

La magnificenza della villa, contornata da un immenso parco, spiata in un paio di occasioni, insieme con un congruo anticipo per la consulenza, l'avevano infine convinta ad accettare l'invito.

Le era dispiaciuto lasciare Lugano, quell'aria dentro la quale aveva ritrovato la sicurezza perduta. Del rinnovato stato d'animo aveva scritto in un biglietto all'amico e mentore Cesare Lombroso, ringraziandolo per il consiglio di allontanarsi per un poco dall'aria milanese arroventata dalle polemiche e mettendosi a sua disposizione per tutto ciò di cui potesse aver bisogno: un altro paio di consulenze in quel di Como, aveva scritto, poi qualche giorno di riposo assoluto a villa Alba, in quel di Bellano, presso la sua amica Giuditta Carvasana.

Infine era partita da Lugano.

Non avendo impegni sino al giorno seguente, si era concessa una lunga gita sul piroscafo *Ceresio* che aveva toccato Maroggia, Melide, Bissone, Capolago, Osteno, Oria, Gandria e l'aveva scaricata a Porlezza da dove in vettura aveva raggiunto Como, Hotel Turco, prenotando una camera con vista.

64.

Ormai era mattina inoltrata, la Carvasana si svegliò di colpo.

Rintronata da quel sonno anomalo e tardivo, stentò un momento a ricordare che giorno fosse, dove fosse, perché si ritrovava sul letto della sua camera completamente vestita.

Che ore fossero!

Va be', tardi comunque.

La finestra della camera era aperta, entrava un'aria che profumava di lago. Si alzò, diede dapprima un'occhiata alla bella giornata che si era già annunciata, al sole che illuminava completamente la riva occidentale sino a circa metà lago. Poi uscì dalla sua camera e si diresse verso quella della Birce.

La giovane non c'era.

Giuditta ispezionò la camera, niente di insolito.

Una cosa però, forse: la finestra.

Era aperta.

L'aveva di sicuro aperta la Birce visto che la sera prima era chiusa, se ne ricordava bene.

La Carvasana corse alla finestra, guardò sotto presa da un irragionevole sospetto.

Rimase qualche istante a guardare, annusando nel frattempo.

Sentiva una fragranza che prima non aveva avvertito.

Si staccò dal davanzale.

Che la Birce se ne fosse andata senza dire niente?

Uscì nel corridoio, chiamò.
Nessuna risposta.
Scese di sotto, ripeté il richiamo.
Ancora niente, ancora nessuna risposta.

65.

«Glielo ripeto ancora una volta», disse il caporedattore della «Provincia di Como» Efeso Varechini, «non possiamo dare informazioni riguardanti gli estensori degli articoli pubblicati sul nostro giornale e nemmeno sulle nostre fonti di informazioni. È una questione di etica, cosa che forse voi conoscete poco o che tenete in poco conto.»

Umberto Politti arrossì.

Gli capitava spesso al Santa Geraldina, ma per la rabbia, quando sentiva le castronerie dell'Armandola e vedeva il Porosi illuminarsi a quelle uscite.

Adesso, invece, era per la vergogna.

Alla portineria del giornale, infatti, dopo che gli era stato rifiutato il passaggio all'interno si era esibito in una sceneggiata, millantando una urgentissima questione di vita o di morte per risolvere la quale era assolutamente necessario che potesse conferire con il direttore in persona o con un suo sostituto. Per sovrappiù aveva investito il portiere con una serie di minacce, tra le quali quella di ritenerlo responsabile della disgrazia che incombeva qualora non l'avesse lasciato entrare.

Per non saper né leggere né scrivere, quello l'aveva fatto accomodare, annunciando visita e motivo della stessa al Varechini visto che il direttore era assente.

Davanti al caporedattore Umberto Politti aveva dovuto scoprire le carte.

Il Varechini per tutta risposta gli aveva decantato il decalogo del buon giornalista e poi si era permesso di dargli una lezioncina morale, concludendo con quel riferimento all'etica del comportamento che il Politti, con le sue bugie e le sue minacce, aveva svillaneggiato.

«Ora», concluse il caporedattore, «ritenetevi fortunato se uscirete da qui così come siete entrato poiché sono certo che se il nostro portiere venisse messo al corrente dell'inganno avrebbe qualcosa da dirvi. E inoltre tenete sempre ben presente che i furbi della vostra specie prima o poi finiscono male.»

Una volta fuori, di nuovo in strada, sconvolto per la figuraccia che aveva appena fatto, il giovanotto si guardò intorno indeciso sul da fare.

La Palladino era lì, in Como, sottomano, non poteva, non doveva perderla!

66.

E non l'aveva persa.
Perché?
Perché era furbo.
Magari non proprio il re dei furbi ma sicuramente un principe.
Giannetto Brusca aveva un'alta opinione di sé e della sua furbizia.
L'Hotel Turco non era forse una chiara dimostrazione?
Quando l'aveva rilevato lui era una tana per topi.
"Guardatelo adesso!" diceva spesso tra sé.
Dipinto in giallo zafferano che splendeva al sole come se fosse laminato d'oro.
Camere con vista lago di disegno francese. Nell'atrio stemmi di tutte le città d'Italia e alla reception un'ampia tela a tempera del lago di Como, opera del francese Depechin.
Ristorante d'eccellenza, trasporto via terra e acqua sottomano, darsena privata, fumoir, giardino interno per il tè delle signore!
Quando diceva signore e signori, il Brusca intendeva quelli con la esse maiuscola.
Perché la sua clientela era tutta signorile, danarosa, a volte nobile.
E anche se non apparteneva alla nobiltà, certo non veniva dal volgo.
Merito della sua furbizia, pensava il Brusca. E non aveva tutti i torti.

Perché così come le mosche andavano al miele anche la bella gente andava dove la bella gente andava. Tutto stava nel farglielo sapere, ed era ciò che Giannetto Brusca aveva fatto sin dall'inizio della sua attività di albergatore.

Pubblicizzare che il grande Zufuloff, maestro dell'arte circense, aveva scelto il suo albergo per una vacanza insieme con i suoi artisti migliori: con una mancia a un redattore della «Provincia» aveva ottenuto che il giornale pubblicasse la notizia. Il prezzolato poi, stimolato dal suo caporedattore, gli aveva addirittura chiesto di intercedere con l'illustre ospite affinché si concedesse a un'intervista.

Ecco fatto.

Da lì in poi era stato lo stesso redattore a chiedergli di avvisarlo quando personaggi eccellenti o famosi o comunque curiosi capitavano presso il suo albergo.

Tanto per fare un esempio, tra gli ultimi c'era stato lo storico milanese Barabilla che stava facendo ricerche sulla vita di Napoleone Della Torre, signore di Milano, fatto prigioniero a Desio nel 1277 e morto in cattività nella torre del Baradello nel 1278: il Barabilla aveva intenzione di chiarire se il cadavere del Della Torre fosse davvero stato sepolto sotto un fico oppure, come sostenuto da altri, nella chiesa di San Nicolao, proprio vicino alla gabbia dentro la quale era morto. Altro esempio, uno scultore giapponese giunto sul lago per lavorare sul marmo bianco di Musso di cui tanto aveva sentito parlare. Per non dire di un discendente del patriarca di Aquileia di cui un tempo i vescovi di Como erano suffraganei.

Furbizia ci voleva, e la pazienza di indagare sui nuovi arrivi, sui nomi delle prenotazioni.

Come quella che aveva preso in carico tre giorni prima.

Eusapia Palladino!

Niente da dire, con tutte le polemiche che di recente si erano scatenate attorno a lei, un bel bocconcino.

67.

Abbagliante luce sorgeva dalla superficie del lago, per metà illuminata dal sole.

Giuditta Carvasana, sul terrazzino della sala di musica che dava sul giardino della villa, inspirò. Le entrò nel naso un piano profumo di estate con una nota di menta che poco prima, dalla finestra della sua camera, non aveva definito.

Chiuse gli occhi e ripeté l'operazione di inalare quell'aria inebriante, dimenticando per un momento che di Birce non c'era traccia.

Li riaprì e la ragazza era sotto i suoi occhi.

Era sbucata come una creatura dei boschi da dietro un groviglio di siepi e si avviò verso di lei, stringendo in una mano un mazzetto di menta selvatica.

La Carvasana fu sollevata al vederla, la salutò.

La Birce le rispose, agitando il mazzetto.

«Quel boschetto di menta andava ripulito», disse.

Prima o poi, se no, le piante si sarebbero soffocate una con l'altra.

«Ti intendi di giardinaggio?» chiese la padrona di casa.

Ma se era l'unica cosa che sapeva fare?, pensò la Birce.

«Fiori, piante, verdure», rispose.

La Carvasana sorrise.

«Allora vedi che qualcosa sai fare», disse.

«In questo giardino ci sarebbe più di qualcosa da fare», osservò la Birce quasi sfrontata trovandosi nella sua materia.

Torti non ne aveva.

Del giardino né il precedente proprietario né il Cressogno s'erano mai preoccupati, lasciandolo andare alla deriva. L'anarchia dentro la quale piante, rovi ed erbe erano cresciuti aveva alimentato il fascino chiaroscuro di villa Alba.

«È tutto tuo allora», disse Giuditta Carvasana. «Sempre che non ti dispiaccia occupartene.»

68.

Be', era bastato uno sguardo al Mantegazza per capire che qualcosa di grave era accaduto. Il viso dell'alienista, mentre aveva cominciato a spulciare la relazione della figlia, si era via via incupito. A un certo punto Lombroso aveva sollevato gli occhi dai fogli che aveva in mano e aveva fissato lo sguardo sull'amico. Ma non guardava lui, non guardava niente, guardava chissà cosa.

«Cosa succede?» aveva chiesto il Mantegazza.

«Niente», aveva risposto Lombroso, mentendo a metà. Qualcosa stava succedendo, anche se non sarebbe stato in grado di dire cosa, di spiegarlo ad altri quando non era in grado di farlo con sé stesso. Ma il passaggio in cui la Gina gli riferiva del biglietto trovato nella tasca della seconda ragazza morta, con quei segni matematici, strani, incomprensibili, lo chiamava prepotentemente a non sottovalutare un analogo biglietto anonimo che aveva trovato nella cassetta della posta un paio di mesi prima. Anche lì segni matematici, una specie di formula, o di equazione. Pareva non avesse alcun significato, ai suoi occhi almeno e per la verità nemmeno a quelli di un amico matematico cui l'aveva fatto vedere. Il delirio di un folle, e gli era piaciuto convincersi che così fosse. Anche dopo il ritrovamento del primo bigliettino, Cesare Lombroso aveva pensato a una coincidenza, per quanto strana, aveva tentato di cassare il pensiero che invece ci fosse un legame tra le due occorrenze. Di tanto in tanto il sospetto era tornato a roderlo.

Adesso però non era più possibile ingannarsi, nascondersi davanti a quella che cominciava a essere un'evidenza.
Cosa succede allora?
Niente!
Non era vero.
Qualcosa c'era.
Cosa, era difficile anche solo ipotizzarlo al momento.
Un mistero.
E per i misteri...
Per i misteri, là dove la scienza ufficiale ancora non riusciva ad arrivare...
Lombroso finì di leggere la relazione della Gina.
Poi tornò a guardare l'amico Mantegazza. Fu lui a facilitargli le cose, a impedirgli di dover inventar balle.
«Forse motivi urgenti vi chiamano altrove?» aveva detto il Mantegazza. «Se è per la conferenza non fatevene un cruccio, caro amico. Mi dispiace per voi, semmai sarà per un'altra volta.»
Signorile, non indagò oltre.
«Ritenetemi a vostra disposizione se vi parrà che possa tornarvi utile in qualcosa», disse infine salutando.
E Lombroso partì, di nuovo a piedi, ancora in quell'aria soffocante, quasi liquida, alla volta della stazione per prendere il primo treno utile che lo riportasse a casa.
Giunse in tempo per vedere il culo del treno per Torino che usciva in quel momento dalla stazione.
Gli toccavano adesso due ore di attesa prima del successivo. Nonostante il disappunto, l'alienista trovò che tutto il male non veniva per nuocere. Una volta accomodatosi nella sala d'aspetto di prima classe, e scrutando le grandiose figure simboliche di Venezia e Napoli, opera del pittore Eleuterio Pagliano, ebbe modo di rileggere per bene ciò che la figlia gli aveva scritto e riflettere.

69.

Eusapia Palladino giunse in Como e scese all'Hotel Turco la sera dell'8 agosto.

La mattina seguente, dopo una notte di riposo e un'abbondante colazione, venne abbordata dallo stesso Giannetto Brusca.

Doveva metterla in guardia di una cosa.

Una scocciatura.

Ma non era colpa sua.

Se mai, se colpa c'era, era della fama che circondava personaggi come lei, disse alla Palladino.

«Io non ci posso fare niente», affermò.

Cioè, non poteva impedire ai giornalisti di starsene in agguato fuori dall'albergo.

Era suolo pubblico quello, chiunque ci poteva stare!

Quindi riteneva doveroso, parte dell'ospitalità dell'albergo, spacciare ai suoi ospiti illustri lo stesso consiglio.

«Poi ciascuno decida seguendo la propria coscienza», disse il Brusca.

La medium lo guardò perplessa, non aveva ben capito i termini della questione.

Giornalisti?

«Sì», confermò l'albergatore.

Per la precisione Falcarotti Ederardo, redattore dandy della «Provincia di Como», giovanotto di mondo, vanitoso, sempre all'erta quando in città circolavano bellezze e notorietà.

Non disse che era amico suo di vecchia data, che a lui

spifferava gli arrivi eccellenti in cambio di sperticate lodi scritte sulla gran ospitalità dell'Hotel Turco.

E il consiglio?

«Concedere l'intervista», rivelò il Brusca.

Era il sistema più rapido e indolore per togliersi dai piedi il giornalista e godersi poi un soggiorno di piena tranquillità, sfruttare le comodità del suo hotel, garantendosi da pedinamenti, agguati o trappole d'altro tipo.

«Be'», fece la Palladino, «se è per questo non mi sembra una gran disgrazia.»

70.

Disgrazia vera e propria invece all'ombra del santuario.

Fosse morto un cristiano, la notizia avrebbe destinato meno scalpore, meno chiacchiere, meno pettegolezzi.

La faina aveva visitato, facendo una strage, il pollaio dell'Arcadio e della Serpe. La notizia volò, le parole passarono di bocca in bocca, come la fama greca.

Era da tempo che in tutto il territorio della frazione non si registrava il passaggio di un predatore tanto calamitoso.

Capitava, è vero, di tanto in tanto.

«Ma!» disse ad alta voce la Perseghèta benché fosse sola in casa.

Perché un solo pollaio?

Perché quello e solo quello?

Non era incuria quella?, gridò ancora ma non più sola e nemmeno più in casa propria, bensì nel corridoio del rettorato e di fronte al rettore in persona.

Non era forse il caso di indagare se i due non avessero fatto le cose per bene, non avessero protetto a sufficienza il pollaio, tradendo la fiducia del signor rettore, trascurando la cura che si doveva quando si trattava di roba altrui?

Forse, proseguì la Perseghèta, sempre quei due non facevano fin troppo conto sulla pazienza, sulla bontà, sulla clemenza che il signor rettore aveva dimostrato nei loro confronti benché avessero già dato prove di noncuranza nel passato e segnatamente in quell'ultimo periodo, la storia delle uova, la Birce mandata via e adesso quelle galline morte sgozzate?

Non c'erano ormai buoni, ottimi motivi per...

«Calmatevi», la invitò il rettore.

Calmarsi?

Era un bel dire!

Con un marito che tutti i giorni rischiava di perdere altre dita, ancora un paio e non sarebbe stato più in grado nemmeno di manovrare un rastrello o una roncola.

Glielo avessero licenziato come già avevano minacciato di fare, come diavolo avrebbero vissuto, di cosa avrebbero campato?

Di cos'altro aveva bisogno il signor rettore per convincersi che la Serpe e l'Arcadio avevano fatto il loro tempo e ci voleva aria nuova?

Che andasse a fuoco il santuario?

Oppure...

«Oppure?» chiese il rettore.

«Oppure niente», rispose la Perseghèta mordendosi la lingua.

71.

Cesare Lombroso aveva fatto conto di dormire un po' durante il viaggio tra Milano e Torino ma non c'era stato niente da fare.

Non era stata colpa dei sobbalzi, della scomodità della carrozza, del caldo che stagnava, odoroso di cesso tra l'altro, o del controleur che gli aveva chiesto il biglietto tre volte.

Il pensiero della formula, piuttosto, o equazione che fosse.

Tra le tante cose che la figlia gli aveva descritto s'era dimenticata proprio la più importante, riprodurre quei segni per permettergli di verificare se non fossero simili o addirittura uguali a quelli che aveva ricevuto, chiusi in una busta senza mittente, disegnati su un foglio anonimo.

Continuavano a tornargli alla mente le parole di quell'amico matematico, tal Gerardo Dell'Evo, cui aveva mostrato quel per chiedergli lumi, sapere se avessero qualche significato.

Segni compilati a caso, era stata la risposta di quello, nessun significato logico, se non il frutto di una mente instabile o lo scherzo di un buontempone che voleva prendersi gioco di lui.

La faccenda adesso cambiava aspetto.

Se.

Se c'era una rassomiglianza o addirittura una sovrapposizione tra le scritture la cosa cambiava aspetto, e l'alienista non era riuscito a scacciare il sospetto che qualcosa di scuro, di torbido unisse quei segnali.

Un sospetto, un'intuizione.

Era sempre partito da ciò per elaborare le sue teorie. Senza prove certe ma alla ricerca di quelle, per confermare il suo pensiero. Perdendo amici ed estimatori lungo la strada, subendo ciò che aveva subito a Pavia il giorno prima.

Dormire, anche solo dormicchiare con quei pensieri che gli ronzavano per la testa era stato impossibile. Aveva provato a chiudere gli occhi e nel buio che s'era fatto aveva visto solo il buio dentro il quale si nascondeva una possibile minaccia.

Del turbamento cui l'alienista era soggetto, la prima ad accorgersi fu proprio Gina Lombroso quando aprì la porta di casa per farlo entrare.

Anche lei un po' turbata, visto che non si aspettava di vedere il genitore.

«Cosa c'è, cos'è successo?» chiese immediatamente la donna.

I pensieri, l'insonnia, l'umiliazione del trattamento pavese, il viaggio, il caldo: ce n'erano di motivi per giustificare la faccia stravolta dell'uomo e il suo aspetto generale, malmesso.

«Niente», rispose lui.

La Gina incassò la risposta.

Più tardi, ne era certa, suo padre le avrebbe raccontato ciò che lo incupiva e lei gli avrebbe offerto il conforto solito.

Un bagno caldo nel frattempo, nonostante la temperatura esterna, panacea di molti mali, nel corso del quale l'alienista riuscì ad assopirsi sino a quando l'acqua si intiepidì e la figlia, preoccupata per la lunga permanenza del padre nella sala da bagno, andò a bussare alla porta.

Risvegliatosi di soprassalto, Cesare Lombroso chiese alla figlia di preparargli dei vestiti freschi. Doveva uscire, disse, ma senza specificare che la ragione era quella di incontrare immediatamente l'amico Ottolenghi.

Gina Lombroso, obbediente, non disse niente.

Una tisana però gli avrebbe fatto bene.

«Cosa ne dite?» chiese.

Cara, dolce Gina, la migliore tra tutti i suoi figli!

«Come vuoi tu», rispose il padre.

Melissa.

Con venti, trenta, anzi quaranta gocce di estratto di valeriana.

E buonanotte!

72.

Tre finestre aperte, spalancate a villa Alba la mattina del 9 agosto.

Tre camere a prendere aria.

Una, la terza, respirava per la prima volta l'aria del lago da quando villa Alba era tornata a essere abitata.

Il pescatore Minutoli si limitò a dare la notizia, lasciando che a fare ipotesi fossero gli altri avventori dell'osteria.

I conti erano presto fatti anche se non tornavano più di tanto. Una delle finestre era quella della camera da letto della padrona di casa, l'altra quella della sua cameriera, misteriosamente rimasta chiusa per qualche giorno e poi riapertasi.

Ma la terza?

Di chi poteva essere?

Di un marito?

Che saltava fuori così, dopo mesi di assenza e che andava a dormire in una camera diversa da quella della moglie?

O di un amante?

Possibile.

Amante fresco fresco allora, visto che di lui non s'era vista traccia prima.

Amante che per rispetto di una certa forma, godute le grazie della padrona di casa, si ritirava nella sua camera.

«O di un ospite, perché no», saltò su a dire uno della combriccola.

L'ipotesi non era disprezzabile ma poco intrigante, senza sale così come era insipido colui che l'aveva buttata sulla tavola. Risero tutti in coro quelli del giro.

L'oste, che s'era rifugiato in cucina a far bruciare un po' di luganeghetta, al sentire le risate fece capolino, curioso di sapere.

«Cosa c'è da ridere?» chiese.

73.

Niente.

Non c'era proprio niente da ridere. Tuttavia, nonostante il viso serio di suo padre Gina Lombroso non riuscì a contenere una mezza risata.

Mai avrebbe immaginato che una tisana alla melissa e quelle trenta, forse quaranta gocce di valeriana avrebbero potuto portare il genitore nel mondo dei sogni fino alla mattina dopo. Al risveglio l'alienista, sospettoso, le aveva chiesto conto di quel sonno e lei gli aveva rivelato il ricorso al blando sedativo per consentirgli di riprendersi dalle fatiche che gli avevano segnato il volto.

«Avrei preferito parlare subito con l'Ottolenghi», disse Lombroso avvertendo già la rabbia svanire.

«Forse non lo potete fare oggi?» ribatté la figlia.

L'uomo fece per rispondere a sua volta. Gina immaginava quello che stava per udire: non rimandare all'indomani eccetera eccetera...

«Date un'occhiata alla posta intanto», disse con l'intenzione di tagliar corto.

«Posta?» fece l'alienista.

Certo.

Ne era arrivata, parecchia, come sempre.

Lettere di tutti i tipi. Di elogio, di insulti, di consigli, di richieste. Di inviti e di minacce. Di galeotti, cuori infranti, colleghi o sedicenti tali, maghi e fattucchiere...

«A proposito», si interruppe Gina Lombroso.

A proposito di fattucchiere.

«Ha scritto la Palladino», comunicò.
«E cosa dice?» chiese l'alienista.
Gina, senza rispondere, si allontanò un momento dalla camera da letto del genitore e vi fece ritorno con in mano la cartolina postale della medium.
«Misteriosa come al solito», disse sventolandola, «dice e non dice.»

74.

Il giro in Svizzera?

«Non si è trattato di puro piacere», rispose Eusapia Palladino alla prima delle domande che le pose Ederardo Falcarotti.

Vaga, quasi impenetrabile.

Glielo avevano detto.

Ma lui era un tipo tosto, o almeno così gli piaceva pensare di sé. Secondo chi lo conosceva, più che tosto noioso, insistente.

Una càmola. Pur di tirarselo giù di dosso quasi tutti, tranne parecchie tra le donne che aveva corteggiato, gli davano ciò che voleva.

L'intervista era cominciata nella hall dell'Hotel Turco che il Brusca aveva riservato ai due, proibendone l'accesso a chiunque.

«Significa che vi ha tenuto qualche seduta spiritica?» riprese l'Ederardo.

«Non ho detto questo», rispose la medium.

«Ma l'avete lasciato intendere», ribatté il giornalista.

«Non è mio costume parlare dell'attività che svolgo.»

«Il mio», scherzò il Falcarotti, «è invece proprio quello di far parlare la gente.»

La medium sorrise appena.

«Abbiamo qualcosa in comune allora.»

«Ma voi lo fate con i morti», buttò lì il giornalista.

«L'avete detto voi», puntualizzò la Palladino.

Ederardo Falcarotti fece una pausa, rifletté.

Tosta, tostissima quella donna. Avanti di quel passo c'era il rischio che non volesse dire più nemmeno una parola e addio fichi.

Tutto quel mistero, però...

Tutto il mistero con il quale aveva rivestito le risposte in mano a un buon giornalista poteva diventare materia per un ottimo articolo.

Lui era o non era un mago della carta stampata?

«Il mistero viaggia con lei»: ecco il titolo per un articolo che si sarebbe fissato nella memoria dei suoi lettori.

Il mistero e un poco di colore locale.

Riprese, con altro tono.

«E Como, cosa ne dite?»

«Bella città.»

«Vi siete fermata solo per la sua amenità?»

«Forse», sussurrò la Palladino.

«Volete dire che... insomma, avete del lavoro anche qui, tra noi?»

«Forse.»

«E avete intenzione di trattenervi per un po'?»

«Dipende.»

«Posso quindi arguire che ad attirarvi qui non sia stato solo il richiamo del lago.»

La Palladino chinò il capo come se volesse riflettere sulla risposta.

«Vi ho già detto più di ciò che avevo intenzione di dire», disse poi. «Tocca a voi adesso.»

Ederardo Falcarotti sorrise.

Altro che storie, la donna che aveva davanti capiva al volo con chi aveva a che fare. Di lui aveva subito compreso l'intelligenza, come fosse inutile sprecare troppe parole per intendersi.

D'altronde, una che parlava con l'aldilà...

«Ho capito», disse con fare confidenziale, «ho capito.»

75.

«Dove sono gli attrezzi da lavoro?» chiese la Birce.

Chi l'avrebbe mai detto?, si chiese la Carvasana.

Era quella la Birce che aveva avuto sotto gli occhi sino al giorno prima, sino alla sera precedente?

Una Birce molle come quelle lumache senza guscio, silenziosa come un sasso, immobile come una morta?

Quella che, adesso, senza la minima esitazione aveva fatto irruzione nella sua camera da letto per chiederle dove fossero gli attrezzi da lavoro?

Prima di tutto, di che lavoro stava parlando?

La Birce sorrise apertamente, aveva anche una spruzzatina di colore, rosa antico, sulle guance.

S'era alzata presto quella mattina seguendo le sue abitudini e si era subito gettata nel suo elemento naturale, quel giardino che aveva tanto bisogno di cure. Aveva passato un paio d'ore in una specie di ispezione dei lavori che necessitavano, li aveva messi in ordine di importanza poi, atteso un orario che le era sembrato decente per svegliare chiunque, era entrata con decisione nella camera della Carvasana e aveva sparato la domanda.

Dov'erano gli attrezzi?

Quelli necessari a lavorare nel giardino, spiegò alla padrona di casa.

«Dove vuoi che siano», rispose la Carvasana.

Nel capanno degli attrezzi!

O, almeno, così credeva poiché non s'era mai posta il problema.

«Ho già controllato», rispose la Birce.

«E ci sono?»

«La porta è chiusa con un lucchetto, ho sbirciato da una finestrella ma non si vede niente», chiarì la giovane.

«Ci sarà bene una chiave», osservò Giuditta Carvasana.

Bisognava solo trovarla tra la ventina che pendeva da un anello di ferro appeso a un chiodo dietro la porta della cucina.

Capire quale tra tutte fosse quella giusta non era immediato.

«Sarà l'occasione per mettere ordine in quel mazzo di chiavi», disse la Carvasana e sorridendo come se stesse per affrontare un gioco di società iniziò il giro delle porte dell'intera villa.

76.

L'intero corpo delle Venerande Vivandiere, convocato d'urgenza presso la casa della Perseghèta per il pomeriggio.

Fu lei stessa a far correre la voce, non era più possibile fingere di niente, chiudere gli occhi davanti all'evidenza come probabilmente stava facendo il signor rettore, certo per il troppo buon cuore che gli batteva dentro al petto.

Ma insomma...

Qualcuno che badasse anche agli interessi del rettorato ci voleva ed era evidente che la Serpe e l'Arcadio non sapevano più farlo.

Loro due soli a badare alla campagna, nemmeno un uovo per la mensa del povero signor rettore e adesso quella strage di galline.

Dieci galline giovani dalle gole dilaniate, ormai carne immonda, buona solo per le volpi.

Non c'erano forse motivi a sufficienza per sedere in consiglio e vedere il da fare?

La Perseghèta ripeté la storia di casa in casa, di porta in porta, tenendo in serbo solo per le più dubitanti tra le Venerande l'asso nella manica.

Perché, a tutto ciò che era successo, bisognava aggiungere un fatto che forse taluni avevano dimenticato.

Che la Serpe... la Serpe...

Non discendeva forse, la Serpe, da quelle donne di un'altra Lezzeno, a tutti note per essere delle streghe e come tali bruciate sul rogo?

Non che la volesse tacciare di essere una strìa, perlomeno non volontariamente. Ma se nel sangue le girava anche solo un poco del seme degli antichi era proprio in quelle occasioni, nelle occasioni in cui si celebravano miracoli e fatti straordinari come quelli, che veniva fuori per fare del male.

La faina aveva preso di mira solo quel pollaio, non bisognava dimenticarsene.

E la strage di quei poveri animali era capitata proprio quando...

La Perseghèta immaginava la faccia che tutte le Venerande avrebbero fatto quando avesse proposto loro la sua osservazione: proprio quando da quella casa si era allontanata la Birce, quella poveretta che il cielo aveva voluto toccare con un segno particolare. Fino a quando quella giovane era rimasta tra le mura di casa sua tutto era filato liscio.

Poi, invece...

Si era rotto un incantesimo, avrebbe affermato la Perseghèta. Il male che emanava dalla Serpe, adesso che non c'era più la povera Birce a contrastarlo, aveva campo libero.

Le galline erano state le prime vittime.

E adesso, a chi sarebbe toccato?

77.

Quando l'Ottolenghi mostrò all'alienista il secondo pezzettino di carta con gli scarabocchi questi divenne smorto. Né il suo incarnato migliorò quando l'assistente gli precisò, scusandosi per essere stato incauto, frettoloso, che anche il primo, quello che aveva purtroppo gettato reputandolo una sciocchezza, era molto simile a quello.

Lombroso non aveva voluto che la figlia lo accompagnasse, voleva evitare di darle pensieri attorno a una cosa che nemmeno lui sapeva definire: era un pensiero simile a una farfalla che sfuggiva sempre nel momento in cui sembrava dentro la rete.

Una volta presa visione del reperto, si frugò in tasca e ne estrasse quello che aveva ricevuto in forma anonima qualche tempo prima.

A sua volta lo mise sotto gli occhi dell'amico e aspettò che dicesse qualcosa.

L'Ottolenghi scrutò a lungo i segni che comparivano sulla carta. Poi si decise ad aprire la bocca.

«Cosa significa?» disse. «O meglio», aggiunse, «può significare qualcosa?»

I segni erano uguali, sovrapponibili. Quelli che erano scarabocchiati sul secondo bigliettino sembravano trovare una loro continuazione in quello che Lombroso aveva ricevuto.

«Non lo so», rispose l'alienista.

«Davvero?» chiese l'Ottolenghi.

«Credete che vi possa mentire?»

«No. Ma che la cosa non vi lasci tranquillo sì.»

«Due indizi non fanno una prova», replicò Lombroso, «e voi lo sapete bene.»

L'Ottolenghi respirò a fondo.

«Direi che, se le due cose sono collegate, se le due giovani morte hanno qualcosa in comune, abbiamo tra le mani più di due indizi.»

Lombroso tacque.

«A meno che gli indizi non siano tre... come dire... forse abbiamo un ulteriore punto di contatto tra i due cadaveri.»

«Fatico a capire», disse l'alienista. «Spiegatevi.»

«Credo che vostra figlia vi abbia informato delle lesioni che ho riscontrato sulle due donne.»

Lombroso fece cenno di sì, era al corrente.

Quei due fori, due piccole lesioni del cranio, nello stesso punto, triangolari. Non c'erano molti attrezzi che potessero provocare lesioni simili.

«Ne ho studiati vari», disse l'Ottolenghi, «e direi che il maggior sospettato è il martelletto che usano i geologi per picchiettare le loro rocce.»

«Si potrebbe giungere a pensare che le due donne...» osservò Lombroso «...le due poveracce forse...»

«Forse?»

«Forse non sono state uccise per caso», concluse l'alienista.

«Raramente, direi, si uccide per caso», osservò l'Ottolenghi.

«Se queste due donne non sono state uccise per caso, allora...»

«Sì?»

«Allora dovrebbe esserci una risposta, una spiegazione.»

«In quella specie di equazione?» chiese l'Ottolenghi.

Lombroso evitò di rispondere.

«Sempre che abbia un significato e ci sia qualcuno in grado di risolverla», aggiunse l'Ottolenghi.

Cesare Lombroso fissò lo sguardo oltre l'amico, sulla parete di fondo della sala anatomica.

«L'avete detto», disse poi.

«Cosa?» chiese l'Ottolenghi.

L'alienista chinò il capo.

«L'avete detto», ripeté senza dare altre spiegazioni.

78.

Cinque chiavi per il piano di sopra, le quattro camere da letto più la cappella.

Una dopo l'altra le chiavi stavano trovando la porta destinata.

«Non sarebbe una cattiva idea segnalarle con un cartellino», disse la Carvasana. «Ci eviterà in futuro di dover rifare il giro della villa.»

La Birce rispose, senza parlare però.

Con un bel sorriso invece, cosa che stupì ancora di più la padrona di casa: quando sorrideva il viso della giovane diventava grazioso, mostrava tutta la freschezza dei suoi anni e l'intelligenza che sino al giorno prima aveva nascosto dietro l'immobilità e il mutismo.

«Quindi, cinque le abbiamo lasciate sopra», contò ancora la Carvasana scendendo di sotto con la Birce al seguito.

Al piano terra, altre cinque: la sala da pranzo, la sala da tè, la sala di musica, quella di lettura e la cucina.

Più due per le altrettante porte che aprivano sulla terrazza. Il cancellone d'accesso alla villa poi il portone, la porta e l'antiporta.

«Sedici», contò la Carvasana.

Diciassette con quella che dava accesso alla cantina.

Diciotto con quella che apriva il cancelletto della darsena.

Ne restavano due.

Una aprì il capanno degli attrezzi.

E l'altra?
«Che io sappia non ci sono altre porte in questa villa», disse la Carvasana.
La Birce la guardò senza parlare, la voglia che aveva sul viso avvampò.

79.

Eusapia Palladino uscì dall'Hotel Turco nelle prime ore del pomeriggio. Al Brusca, curioso come una scimmia, che le chiese cosa avesse intenzione di fare, rispose che voleva visitare palazzo Giovio, ricco di dipinti, lapidi, iscrizioni e codici antichi.

Poi, una volta lontana dagli occhi dell'albergatore e finalmente sola fermò un passante per chiedere indicazioni.

Via Bonanomi, 186.

In un appartamento di quella via la stava aspettando il comasco Desiderio Fugetti, fanatico di spiritismo, che l'aveva contattata in relazione a un cruento fatto di cronaca accaduto nel corso dell'anno precedente. Il Fugetti ne era venuto a conoscenza grazie al fratello, carabiniere in quel di Ceglie Messapica, il primo a capitare casualmente sul luogo del crimine e a rilevare quello che troppo superficialmente era stato definito come un doppio suicidio: due gemelli che a detta degli investigatori si erano sparati a vicenda. Il Fugetti carabiniere tuttavia aveva sospettato diversamente, convincendosi che era successo ben altro. Con gli inquirenti non ne aveva parlato, non gli avrebbero dato ascolto. Aveva raccolto però voci, indiscrezioni, secondo le quali ci sarebbe stata di mezzo una donna, l'innamorata di uno dei due che aveva fatto ingelosire l'altro al punto di portarli a un tragico litigio. Nessuno però aveva saputo indicare chi dei due fosse la vittima e chi il carnefice. Di tutto ciò che aveva appreso, il carabiniere aveva scritto in una lettera al fratello, cui settimanalmente dava conto di ciò che faceva in quel lontano paese. Il Desiderio aveva colto al volo l'occasione: perché non interrogare gli spiriti dei due?

S'era fatto spedire le fotografie dei gemelli, coinvolgendo in un paio di spassose sedute due sedicenti medium indigene, tal Orsina di Caslino d'Erba che a metà esperimento s'era pisciata addosso e un'altra, Cerimonia di Vertemate, che invece s'era presentata già ubriaca di grappa. Sul punto di rinunciare ai suoi sogni di gloria aveva letto delle meraviglie della Palladino e le aveva immediatamente scritto sottoponendole il caso. La Palladino aveva risposto stando sulle sue.

«Se mai mi capitasse di dover passare dalla vostra città...»

Adesso però che l'occasione si era presentata non aveva voluto rinunciare.

Temeva trappole però.

Al Fugetti, che aveva preparato convenientemente un locale della casa per la seduta e convocato gente di sicura fede per completare la catena, disse di non essere pronta a sostenere la fatica di una seduta spiritica a causa di una recente febbre che l'aveva debilitata. Se comunque il Fugetti le avesse dato i ritratti dei due, li avrebbe portati con sé e, una volta rimessasi, avrebbe provveduto a interrogare gli spiriti e gli avrebbe comunicato il risultato.

Certo, Desiderio Fugetti aveva immaginato di trascorrere un pomeriggio ben diverso, tuttavia le numerose curiosità che lui e i suoi compari avevano e alle quali la Palladino non si sottrasse furono una discreta panacea per la mancata seduta spiritica.

Uscita da quella casa la Palladino si trovò immersa in un crepuscolo di orientali suggestioni. Respirò a pieni polmoni un'aria che aveva un odore, forse anche un sapore, ineffabile.

Rientrando in albergo, chiese al Brusca di dare un'occhiata ai battelli che risalivano il lago.

«Partirò domattina», disse.

Destinazione Bellano, villa Alba, la sua amica Giuditta Carvasana.

80.

Destinazione Milano con il primo treno in partenza.

«È una follia partire adesso!» obiettò Gina Lombroso.

Niente.

Come non avesse aperto bocca.

Suo padre non sentiva ragioni anche se lei ne aveva, e tante.

Era quasi metà pomeriggio, partire a quell'ora voleva dire giungere a Milano con il rischio di restare in stazione tutta la notte se non ci fosse stata la possibilità di raggiungere Como. E anche se suo padre ce l'avesse fatta, non c'era nessuna garanzia che la Palladino fosse ancora a Como e non già a villa Alba, a Bellano, dalla sua amica.

Non poteva attendere fino all'indomani in modo da programmare con più calma quel viaggio, quell'ennesimo colpo di testa?

Cesare Lombroso rispose ancora no.

Non poteva.

Avvertiva una sensazione di urgenza difficile da definire e da comunicare, ma qualcosa gli diceva che doveva sbrigarsi.

«Devo fare in fretta», disse.

«Perché?» chiese la figlia.

L'alienista la guardò: avesse saputo o potuto risponderle, lo avrebbe fatto volentieri.

«Allora vengo con voi», sbottò Gina Lombroso.

«Nemmeno per idea», fu la secca replica del padre.

Gli serviva lì, sul posto, a fare da collegamento con l'Ottolenghi.

In quell'indagine...

«Quale indagine?» lo interruppe la figlia.

Lombroso ebbe più di un attimo di incertezza.

«Ho detto indagine?» disse poi.

«Sì.»

Be', la parola gli era sfuggita.

«È un caso?» indagò la figlia.

L'alienista non riuscì a mentire.

«No», confessò.

«E allora?»

E allora...

Allora doveva avere fiducia in lui e non fargli domande alle quali per il momento non avrebbe saputo dare una risposta.

«Io sono convinto che ormai questa cosa sia un'indagine», disse.

Forse lo era anche per l'Ottolenghi.

Lei doveva credere alle sue parole.

E infine l'Eusapia Palladino, la quarta persona coinvolta anche se al momento ancora lo ignorava, poteva confortare la sua ipotesi.

Per questo gli serviva vederla quanto prima a quattr'occhi, per questo gli serviva partire all'istante alla volta di Como o Bellano, per questo sua figlia doveva smetterla di mettergli i bastoni tra le ruote e invece prepararargli in fretta una borsa da viaggio con il minimo indispensabile.

«Potrebbe essere questione di vita o di morte», affermò Cesare Lombroso.

81.

«Non c'è due senza tre.»

D'accordo, i proverbi erano nati apposta per contraddirsi.

La Perseghèta però lo buttò lì con una voce come se avesse appena avuto una rivelazione divina, pura verità.

Le Venerande Vivandiere la guardarono, stranamente silenziose.

La Perseghèta le aveva riunite nella sua cucina, appositamente incupita grazie alle persiane accostate e dall'atmosfera quasi irrespirabile per merito di un po' di zolfo, sottratto al marito che di tanto in tanto lo dava alle viti, che la stessa padrona di casa aveva sparso in aria con l'intenzione di creare una suggestione infernale. Il caldo poi e l'odore d'umano che trasudava dalle presenti sembravano fatti apposta per invitare le astanti a prendere rapidamente una decisione in proposito pur di non stare in quella stanza un minuto di più.

Una sola osò aprire la bocca per un'ovvia obiezione.

«Sarà anche vero quello che dici ma fino a ora la Serpe ha fatto danni solo a sé stessa.»

La Perseghèta sorrise.

«Avete mai sentito di una strega che operi per il bene, sia proprio o altrui?» buttò lì.

«Non c'è angolo di questo mondo dove non risuoni il nome delle streghe di Lezzeno, che faceva rabbrividire dallo spavento i nostri nonni, e sul Lario non trovate paese dove non si indichi con superstizioso terrore la dimora delle streghe d'una volta perché dicon che adesso non ci son più», recitò la Perseghèta ricordando ciò che suo nonno Brindo, uomo che amava parlare per citazioni, proverbi e sentenze, le aveva insegnato.

«Ma io vi dico», aggiunse, «che ci sono ancora.»

«In effetti», sorse a dire una seconda tra le Venerande, «lo dice il proverbio.»

«Quale?» chiese il coro delle altre.

«Lezzeno dalla mala fortuna
D'inverno senza sol, d'estate senza luna.»

La Perseghèta sorrise senza ridere.

«Mie care Venerande, vi siete mai chieste come mai abitiamo una terra che porta lo stesso nome di quella? Non vi è sorto il dubbio che ciò sia per contrastare la cattiva fama di quella terra ove non maturano i fichi autunnali, dove una distilleria d'aceto copriva le trame infernali dei carbonari? Vi siete chieste perché la Santa Vergine operò qui il suo miracolo, perché venne qui a piangere lacrime di sangue?»

La veemenza con la quale la Perseghèta aveva pronunciato le ultime parole scosse notevolmente l'accolita delle Venerande.

Be', corse nelle teste di quelle, forse la padrona di casa non aveva tutti i torti, forse davvero la Serpe aveva addosso qualcosa che attirava la malasorte. Magari non era proprio una strega come la Perseghèta voleva far intendere...

Però, se solo aveva un minimo di ragione, se la faina avesse visitato anche i loro pollai oppure la grandine avesse investito le loro vigne oppure le vacche avessero cominciato ad abortire i vitelli...

«Insomma», chiese una, «secondo te cosa dovremmo fare?»

La Perseghèta fece per aprire bocca.

Ma in quell'istante bussarono alla porta gridando di aprire immediatamente.

82.

Cesare Lombroso scese dal treno che lo portò a Milano alle diciassette più qualche minuto. Non c'erano treni per Como prima delle diciannove.

«E cara grazia!» gli disse il ferroviere cui aveva chiesto informazioni.

Cara grazia che c'era quello, l'ultimo della giornata, sennò gli sarebbe toccato aspettare fino alla mattina seguente, il primo, quello delle sei. A Como giunse alle otto passate e subito dopo essere uscito da sotto la pensilina della stazione si prese la prima di una serie infinita di sberle dategli da un vento impetuoso che da un paio d'ore aveva cominciato a soffiare.

«È una mezza bergamasca», lo informò un battellotto cui peraltro l'alienista aveva chiesto a che ora partisse il primo battello per Bellano.

Il battellotto lo guardò.

«Allora forse non mi sono spiegato bene», disse.

«Cosa intendete dire?» chiese Lombroso.

«Che è una mezza bergamasca e avanti così diventerà intera.»

«Scusate», ribatté Lombroso, «ma io vi ho chiesto a che ora parte un battello per Bellano.»

«E mì go dà risposta!»

Ostia, dove voleva che andassero i battelli con quell'aria della madonna?

In font al lac?

«Non ce n'è di battelli, avete capito?»

«E io?» sbottò l'alienista.
«Io cosa?» chiese il battellotto.
Diosanto, era così difficile da capire?
Niente battelli, nisba!
«Io come faccio ad arrivare a Bellano?»
Il battellotto sorrise e si morsicò la lingua perché la risposta ce l'aveva proprio lì bella e pronta: aspettava che passasse il brutto tempo perché dopo il brutto viene il bello, ecco come faceva.
Tacque invece.
Fece il gentile.
«Vi converrà passare la notte qui e pensarci domani.»
Sul viso dell'alienista comparve un'espressione tra il supplice e il disperato.
«Non esiste proprio altra maniera?» chiese.
Il battellotto rifletté.
«Se è proprio una questione di vi...»
«Esattamente», lo interruppe Lombroso.
Va be', se era così ascoltasse cosa si poteva fare.

83.

Erinio Trapani chiese permesso agli zii di cui era ospite e si accomodò sul terrazzino da cui poteva godere un panorama di lago e di cielo.

Tranquillo il lago, sereno il cielo ma quest'ultimo solo sopra Bellano e l'alto lago, un po' meno invece giù, verso Como e dintorni, dove correvano nuvole.

Si rilassò, chiuse gli occhi, emise un sospiro soddisfatto, si sentiva un po' stanco, ma era una stanchezza diversa da quella solita, maturata sui libri di geologia quale studente universitario presso l'università di Torino. Una stanchezza che si era piano piano lasciato alle spalle sin dal giorno prima, quando era salito sul treno che, in perfetto orario, l'aveva portato a Milano e poi a Bellano e che era svanita completamente dopo il primo, prolungato bagno fatto quello stesso pomeriggio nelle acque del lago.

Vergognandosi un po' del suo biancore universitario e cittadino aveva preferito tuffarsi dalla riva della puncia del Cane, una rivetta discosta, scomoda perché tappezzata di sassi sopra i quali era impossibile stendersi e proprio per questo poco frequentata.

Aveva passato così gran parte del pomeriggio, un po' in acqua e un po' seduto su uno dei massi meno scomodi, pensando a ciò che aveva fatto e a ciò che l'aspettava: le lunghe passeggiate in montagna in compagnia dei suoi attrezzi per portare a termine il lavoro iniziato l'anno precedente. Solo quando il sole aveva cominciato a calare e l'aria, nonostante fosse pieno agosto, si era rinfrescata aveva fatto ritorno, sollevando gli zii dalla preoccupazione di saperlo quasi solo e nell'impossibilità di avere aiuto nel caso ce ne fosse stato bisogno.

Aveva cenato.

Quindi, sazio e invaso da quella benevola stanchezza, aveva chiesto agli zii il permesso di andarsi a godere la pace della vista che si aveva dal terrazzino.

Dopodiché, quando il sonno avrebbe cominciato a dargli un cenno del suo arrivo, avrebbe chiuso quella giornata perfetta con l'ultima, l'unica cosa che gli restava da fare.

84.

Una sola cosa.

Andare dal rettore in delegazione senza perdere tempo, l'indomani, e chiedere che prendesse provvedimenti immediati.

«L'avevo detto io, non c'è due senza tre», aveva detto la Perseghèta poco dopo aver aperto la porta di casa e aver preso visione dello spettacolo che le si era offerto: la faccia smorta di suo marito, un panno insanguinato legato attorno alla mano destra, il collega che lo accompagnava e che, a titolo di consolazione, aveva detto: «Non è un dito intero questa volta, è solo un pezzettino».

Ma contava come una mano, un braccio, una gamba!

Alla vista del sangue un paio di Venerande erano diventate più smorte del poveretto.

La Perseghèta le aveva redarguite.

«Ritenetevi fortunate che la disgrazia non ha ancora toccato le vostre case.»

Lei sola per il momento era il parafulmine delle arti malvagie della Serpe e quel pover'uomo di suo marito era lì, dimostrazione vivente e sofferente.

«Ma quando comincerà a prendersela anche con voi?» aveva chiesto.

Cosa avrebbero fatto, come si sarebbero difese?

Avevano ancora intenzione di tremare davanti all'idea di presentarsi al signor rettore e chiedere una decisione, esigere giustizia?

«Perché di giustizia si tratta, e non di altro.»

Per il bene, affermò, del nostro paese.

Il marito della Perseghèta nel frattempo era rimasto in piedi nella cucina ad ascoltare il predicozzo della moglie e a guardare uno per uno i visi carpognati delle Venerande, le loro verruche, i capelli stopposi.

Non osava parlare: sua moglie, se avesse osato interromperla, l'avrebbe fulminato.

Gli sfuggì un gemito però.

«Adesso vengo», abbaiò la Perseghèta senza nemmeno voltarsi.

«Domattina», disse poi alle donne.

Alle otto, dopo l'Ave Maria.

Unite, compatte come un plotone avrebbero affrontato il signor rettore e guai a chi tra di loro fosse mancata.

85.

Già svanita la passione per il giardino, volatilizzato l'entusiasmo?

Giuditta Carvasana si pose quella domanda per l'ennesima volta, senza riuscire a darsi una spiegazione del repentino cambiamento della Birce dal momento in cui, davanti alla porta del capanno, era rimasta con quell'ultima chiave in mano, la voglia che aveva in viso rosso fuoco, il volto tornato la maschera che aveva avuto sotto gli occhi per tutto il giorno precedente.

«Non vuoi vedere se c'è tutto quello che ti serve oppure manca qualcosa?» le aveva chiesto.

«Più tardi», aveva risposto la Birce.

Non aveva nemmeno aperto la porta del capanno, non ne aveva ispezionato il contenuto.

«Si può sapere cosa ti succede?» aveva chiesto lei.

Non era riuscita a contenere un filo di irritazione, quella ragazza stava dimostrando di essere troppo volubile, inaffidabile addirittura, come il tempo: la giornata era ancora bella ma nuvole che si spingevano oltre le montagne al confine con la Svizzera facevano prevedere un cambiamento.

«Niente», aveva risposto la Birce e senza che lei dicesse altro s'era avviata verso la villa.

Una volta rientrate in cucina, la Carvasana le aveva chiesto che intenzioni avesse.

Occuparsi del giardino o darle una mano a preparare la stanza per la sua amica?

Be', aveva pensato, era un bel caso: la padrona che chiedeva alla sua cameriera cosa volesse fare!

D'altra parte avendo per le mani un soggetto come la Birce...

Rettore, rettore...

Le aveva giocato un bello scherzo.

Che però, come tutti gli scherzi, sarebbe durato poco.

La Birce le aveva risposto che preferiva aiutarla nel preparare la camera per l'ospite. La giornata era trascorsa così, fino alle prime ore del pomeriggio, dopo pranzo quando, per non averla sotto gli occhi e non incrementare l'irritazione che le dava il vederla così lontana, assente, la Carvasana si era ritirata nella sala di musica ad ascoltare Mozart. Che la Birce facesse quello che voleva, dormire, un bagno nel lago, si occupasse finalmente del giardino e degli attrezzi, a lei non interessava.

Cosa aveva fatto per far passare il pomeriggio, la Carvasana non lo seppe né volle chiederlo alla Birce.

Si ritrovarono a sera per la cena.

Silenzio, rumore di posate, qualche risucchio.

Alla padrona di casa sembrò giunto il momento di dire due parole sincere alla Birce. Per quanto il rettore glielíavesse raccomandata, era evidente che quello della cameriera o dama di compagnia non era il lavoro adatto a una come lei.

«Amica mia...» cominciò sospirando.

86.

«Ci sarebbe un mio amico», aveva detto il battellotto a Cesare Lombroso.

Uno che con una buona mancia da aggiungersi naturalmente al costo del lavoro avrebbe potuto dargli una mano.

«E come?» aveva chiesto l'alienista.

«Con un biroccino», aveva risposto il battellotto.

Il suo amico, aveva spiegato, era un genio dell'elettricità.

«E allora?» aveva chiesto Lombroso. «Cosa diavolo è 'sto biroccino?»

«Metà carrozza, metà furgoncino», aveva risposto il battellotto. «Ma elettrico!»

«Elettrico?»

«De bòn!»

Glielo aveva appena detto che 'sto suo amico, il Tavani, era un genio dell'elettricità e saildiavolo come aveva messo insieme un mostriciattolo del genere dopo che a Milano aveva visto una cosa simile fatta dagli americani.

Com'era come non era, andava! Cioè, si muoveva. E senza cavalli a tirarlo e non solo in discesa!

«Con quel biroccino lì fa servizi», aveva chiarito il battellotto.

Portava in giro robe.

Gente, non lo sapeva. Cioè, magari sì, ma non poteva dirlo. Comunque era sicuro che con una bella mancia, oltre al costo del servizio naturalmente, il Tavani non avrebbe rifiutato.

«Va bene», aveva concluso l'alienista, «chiamatelo.»
«Eh!» aveva sospirato il battellotto.
Vallo a pescare!
Mica facile come dirlo!
«E allora?»
Il battellotto s'era zittito.
Dieci secondi.
«Ho capito», aveva detto Cesare Lombroso.
Ci voleva una bella mancia anche per lui affinché andasse a chiamare il genio dell'elettricità. E affinché si riparasse dall'aria che tirava e dalla pioggia che sembrava stesse per arrivare gli aveva offerto il suo gabbiotto.

87.

Parole gettate al vento.

La Carvasana terminò di dire alla Birce quello che pensava e senza dirlo pensò di aver parlato per niente.

Come se avesse avuto di fronte una statua di marmo.

«Non ci resta che andare a dormire», disse allora.

«Buonanotte», disse la Birce, alzandosi dalla sedia e infilando il corridoio.

Nemmeno sparecchiare!

O be', il rettore aveva preso proprio un bell'abbaglio.

Giuditta Carvasana si avviò a sua volta.

Piuttosto che sparecchiare da sé, adesso, sostituendosi a chi per contratto avrebbe dovuto farlo, si sarebbe tagliata le mani.

Seguì la Birce che stava già salendo la scala. Giunta al piano superiore fece per raggiungere la sua camera, la prima che si apriva sul corridoio, quando si bloccò a osservare la ragazza.

Cosa faceva?

La Birce aveva superato l'ingresso della sua camera, si stava dirigendo verso la stanza che avevano preparato per la Palladino.

Che volesse entrare in quella?

Nemmeno.

La giovane superò anche quella porta, proseguì lungo il corridoio, dopodiché si fermò, in un atteggiamento come se ascoltasse qualcosa.

La padrona di casa l'aveva già vista comportarsi in quel

modo un paio di giorni prima, quando le aveva mostrato la sua camera.

Ma era mattina, c'era il sole, la luce, adesso invece...

La Birce non le diede il tempo di concludere qualunque pensiero avesse avviato.

Si girò verso di lei. Restò immobile, le mani lungo i fianchi. La Carvasana non poteva vedere dove guardasse ma avrebbe giurato che lo sguardo della Birce andava oltre la sua figura.

Sembrava un fantasma.

La Carvasana finse un sorriso.

La Birce mosse qualche passo. Rigida, le mani sempre lungo i fianchi, i piedi invisibili sotto il grembiale, sembrava camminare sollevata da terra, sembrava un cadavere uscito dalla bara...

Lenta, senza fermarsi, la Birce le passò di fianco e riprese le scale per tornare a scendere di sotto.

La Carvasana cacciò dalla mente le fantasie che erano appena nate.

Fantasmi e cose del genere, idiozie!

Stava assistendo a un caso di sonnambulismo, niente di più. Con tutti i rischi connessi a quelle situazioni però. Ci mancava che la Birce si facesse male e lei dovesse giustificarsi con il rettore o con la famiglia.

La seguì.

Con cautela.

Sapeva che le persone in stato di sonnambulismo non andavano svegliate all'improvviso a rischio di scatenare reazioni violente, pericolose.

Giunta al piano di sotto la Birce si fermò un momento appena disceso l'ultimo gradino poi fece un altro paio di passi lungo il corridoio, si fermò di nuovo, guardò verso il soffitto quindi si avvicinò al muro contro il quale il corridoio finiva e con forza picchiò un paio di pugni contro la parete.

«Ma cosa fai?» scappò detto alla Carvasana.

Si pentì subito dell'uscita temendo che la sua voce potesse irritare la sonnambula.

La Birce invece, per tutta risposta, disse: «È qui».

«Sei sveglia?» chiese la Carvasana.

La Birce non rispose alla domanda.

«La porta che non riuscivamo a trovare per questa chiave», disse invece, estraendola da una tasca del grembiale. «È qui.»

«Ma cosa dici?» chiese Giuditta.

La Birce picchiò un altro pugno sulla parete.

«Una porta... nascosta?»

Con un gesto che alla Carvasana fece venire i brividi, Birce grattò un po' dell'intonaco che ricopriva il finto muro. Poi guardò la padrona di casa.

«C'è qualcosa qui dietro», affermò.

Fu il tono, lo sguardo della giovane. Fu anche la mezza luce che c'era nel corridoio, frutto delle nuvole che stavano oscurando il cielo. Alla Carvasana i brividi raddoppiarono. La Birce fece qualche passo alla volta della cucina.

«Dove stai andando?» chiese la Carvasana.

La Birce si fermò.

«A cercare qualcosa per liberare la porta.»

Giuditta Carvasana sentì di temere qualcosa. Cosa, non sapeva dirlo.

«Aspettiamo domani», disse.

La voce le uscì debole, come se implorasse. E sapeva quello che la Birce le avrebbe risposto.

«Adesso», insisté la giovane.

88.

Quando il genio elettrico arrivò in compagnia dell'amico battellotto, Cesare Lombroso stava dormicchiando, il vento si era dato una calmata e la minaccia di pioggia era rientrata.

«Tutto a posto», disse il battellotto investendo l'alienista con un alito di vino.

Onde evitare imbarazzi a entrambi, disse, aveva trattato lui il prezzo del servizio compresa la mancia.

«Ho pensato io a fare tutto perché, sapete», aggiunse il battellotto, «è un genio, quindi è un po' originale e poi non parla che il nostro dialetto.»

Lombroso abbozzò.

«Gli avete anche detto dove mi deve portare quindi?» chiese.

«Certo, mi sono ricordato di tutto. E poi per quello non dovete avere alcun timore. Conosce il lago di Como come le sue tasche.»

«Bene», concluse l'alienista, «allora non ci resta che partire.»

«Direi anch'io», si associò il battellotto.

I dubbi dell'alienista cominciarono quasi subito, non appena iniziata la lenta risalita del lago verso la meta.

Sul cosiddetto biroccino innanzitutto.

Che di elettrico non aveva proprio niente. Per quanto poco conoscesse e si interessasse di meccanica, Lombroso classificò il mezzo sul quale viaggiava come una specie di trattore a testa calda o un trattore a miccia vista la manovra che il Tavani aveva messo in atto per avviarlo, utilizzando cioè una piccola cartuccia di esplosivo che aveva dato fuoco alla miccia e avviato il motore. Dopodiché con un ringhio di felicità da parte del Tavani s'erano avviati procedendo a una velocità pari a quella di un camminatore ben allenato.

Subito dopo nella mente di Cesare Lombroso era sorto un altro dubbio, ben più inquietante.

La strada.

Pur non avendo una perfetta conoscenza della geografia di quel lago, gli sembrò molto strano che quello stesso lago apparisse quasi subito sotto i suoi occhi, non appena usciti da Como, e alla sua destra. Il tentativo di chiedere delucidazioni all'autista non funzionò. Tra il casino che produceva il biroccino e il fatto che quello non intendeva altra lingua se non il dialetto, tutto ciò che Lombroso ottenne fu un sorriso di pochi denti e una rassicurante pacca sulla coscia.

Verificata l'inutilità di avere informazioni, si lasciò andare a una specie di dormiveglia da cui lo trasse lo stesso Tavani dopo un tempo difficile da calcolare.

«Sveglia», disse, «sem riàa. Belàs!»

Sorpresa sorpresa!

«Willkommen», aggiunse il Tavani per la meraviglia dell'alienista.

89.

La chiave aveva girato senza difficoltà, la porta si era aperta con una leggera spinta, lo stucco che ne occultava le fughe aveva ceduto facilmente. Nel muro di fondo del corridoio si era aperta una voragine scura, una bocca nera e silenziosa.

Gli occhi della Carvasana e della Birce avevano indagato il buio che si era aperto dinanzi a loro senza vedere niente.

Quello che alle due donne sembrò subito è che la porta non chiudeva una stanza ma una specie di ripostiglio, un prolungamento del corridoio che a occhio terminava con uno dei muri portanti della villa.

«Ci vuole una candela», disse la Birce mentre dall'interno del ripostiglio si liberava un odore di chiuso, di aria per troppo tempo rimasta ferma.

Alla Carvasana quell'odore salì per le narici diritto al cervello, dandole una sensazione di disagio.

Era il buio da cui proveniva quell'odore, come se quel buio fosse materiale, una cosa, un'indescrivibile bestia che respirasse quell'aria malsana e la soffiasse contro loro due.

«Andiamo via», disse la Carvasana.

Ma la Birce era già lontana da lei, già di ritorno dalla cucina con una candela in mano. La vide avvicinarsi, la luce della candela che ne fiammeggiava il viso pallido. La immaginò cadavere come poco prima, cadavere risorto, uscito dal buio di quello stanzino, un fantasma ecco, un fantasma tale e quale l'aveva solo immaginata prima, invece adesso davanti ai suoi occhi. Un fantasma che due giorni prima era entrato nella sua villa...

La Birce avanzò nello stanzino.

Due passi e si fermò, la candela appena sollevata.

«Signora...» chiamò.

La Carvasana si riscosse. Si deterse il sudore, si passò le mani sugli occhi.

«Cosa c'è?» chiese.

«Non so», rispose la Birce.

Bisognava vedere.

90.

Pronto lo zaino.

L'ultima cosa che gli restava da fare.

Erinio aveva controllato più volte che ci fosse tutto l'occorrente prima di chiuderlo e deporlo sulla sedia che aveva accanto al letto: avrebbe chiuso gli occhi con la sua immagine nel pensiero.

C'era tutto.

Tranne la cosa più essenziale secondo l'opinione della zia Ginetta: un bel paio di panini con la bologna. Oppure, in alternativa al salume, una lugànega non troppo stagionata.

L'Erinio ne avrebbe fatto a meno. Durante quelle escursioni di rado gli veniva appetito, e semmai gli bastava bere un po' d'acqua da una delle tante sorgenti che incontrava o magari piluccare qualche mirtillo per quietare lo stomaco.

Ma la zia Ginetta era irremovibile, non si andava a scarpinare in montagna senza niente da mangiare nel sacco!

E, come le altre volte, era già passata dal salumiere per avvisarlo che la mattina suo nipote Erinio, quello geologo!, sarebbe passato a ritirare l'una o l'altra cosa, a scelta sua.

Per il pagamento, segnasse sul libretto di casa.

L'Erinio chiuse gli occhi, il sonno stava arrivando, un miagolio di gatti stava salendo dalla strada.

Forse, pensò prima di addormentarsi, già pregustavano la cena del giorno dopo, quella che lui stesso avrebbe offerto loro, perché era quella la fine che facevano le cibarie che si portava a spasso per non scontentare zia Ginetta.

Se bologna o lugànega, avrebbe deciso solo la mattina seguente.

91.

Bellagio?

Willkommen?

«Belàs, willkommen», confermò il Tavani.

«Be'», rispose Cesare Lombroso, «allora voi siete un cretino!»

«Sarès a dì?» chiese il genio elettrico che capiva poco l'italiano o perlomeno così dava a intendere.

L'alienista comprese.

«Sarebbe a dire che siete un cretino e basta!»

Cretino.

Senza bisogno di ricorrere alla fisiognomica o ad altre leggi della sua scienza.

«Ma come!»

A Bellano lo doveva portare!

E invece si trovavano a Bellagio!

Il genio elettrico lo guardava come se a parlare fosse un zuchìn.

«E mì soi de fàc?» si difese il Tavani.

A lui avevano detto Bellagio e a Bellagio era arrivato.

«Giùst o sbaglià?»

Bellano, no Bellagio!, continuava a ripetere Lombroso cercando di spiegarsi con fantasiosi gesti delle mani.

«Ma chi ve l'ha detto, chi...» sospirò.

«El mè soci», lo interruppe il Tavani.

Il battellotto. Era stato lui durante la trattativa per il prezzo a dirgli Bellagio, villa Alba. Pure a lui, proseguì il Tavani, era venuto il dubbio. Sì, perché lui il lago lo conosceva come le sue tasche, il lago, le sue valli e le sue ville. E di ville Alba a Bellagio non ce n'erano, a meno che l'avessero costruita durante quel pomeriggio.

«La Frisoni, la Lattuada, la Robecchi, la Rezia, la Besana, la Trotti, la Poldi Pez...»

«Sì, sì, d'accordo, va bene», si intromise l'alienista.

«La Crivelli», citò ancora il Tavani.

«D'accordo, ho detto basta. Ho capito», disse Lombroso. «Resta il fatto che io devo andare a Bellano. Come faccio?»

Il Tavani tirò fuori l'animo del pioniere.

«Tòrnom indrè», disse.

«Allora andiamo», si animò Lombroso.

«E no, momènt», lo bloccò il genio elettrico mimando il gesto di un gran respiro.

Il biroccio doveva respirare, tirare il fiato.

O forse volevano correre il rischio di restare a piedi a metà strada?

«Quanto ci vorrà?» chiese Lombroso.

92.

Vasi.

Dieci, quindici, forse di più.

Vasi di creta ordinati su alcune mensole che coprivano una delle pareti dello stanzino.

«Cosa ci fanno qui?» chiese la Carvasana.

E perché erano chiusi dentro quella specie di ripostiglio, dietro una porta che era stata nascosta?

La Birce intanto aveva percorso l'intero stanzino, la candela levata in alto, scrutando la fila dei vasi.

Poi si allungò ad afferrarne uno. Una volta che l'ebbe saldamente in mano lo soppesò.

Contenevano qualcosa?

«Che sia stata una cantina e dentro quei vasi ci sia qualche vino di pregio ormai finito in aceto?» disse la Carvasana.

Voleva sentire un altro suono di voce oltre al suo, parole che dessero vita all'aria morta che stagnava dentro lo stanzino.

La Birce si comportava invece come se lei non ci fosse, non l'avesse udita. Si avvicinò all'orecchio quello che teneva in mano e lo scosse.

«C'è qualcosa dentro?» chiese la padrona di casa.

La Birce continuava a non parlare.

Si era già inginocchiata però, aveva posato a terra la candela, e aveva cominciato ad armeggiare attorno al tappo per aprire il vaso che aveva tolto poco prima dal ripiano. La Carvasana, seguendo un ineffabile istinto, avrebbe voluto dirle di lasciar perdere, non aveva alcuna voglia di scoprire cosa contenesse. Ma sapeva, o sentiva altrettanto bene che la giovane non le avrebbe dato retta.

Aperto il vaso, la Birce vi guardò dentro poi lo reclinò rovesciando il suo contenuto sul pavimento.

«Cosa diavolo è quella roba?» sbottò la Carvasana.

Vedeva male alla stenta luce della candela.

Le parve che dal vaso uscisse sabbia, rena finissima.

La Birce infilò una mano nel mucchietto che si era formato, lasciò che quella specie di sabbia le corresse tra le dita fino a che trovò qualcosa.

Lo mostrò alla Carvasana.

«Cos'è?» chiese la padrona di casa.

La risposta tremò nella bocca della Birce.

«Un osso.»

Un osso di cosa?

O di chi?

La Birce le puntò gli occhi addosso.

«Ma qual mai scorre entro le vene un gelo?
Quale ogni fibra tremito mi scote?
Rimembranza importuna! il sito atroce
Di fera gente, i sacerdoti infami
Tu mi rammenti, e gli orridi olocausti
Di svenati fanciulli in queste sponde
A falsa deità già un tempo offerti.»

Birce aveva recitato quei versi con una voce che non era la sua. La Carvasana si mise le mani sulle orecchie.

«Birce, basta, per favore.»

La giovane tacque. Ma il suo sguardo era ancora fisso sulla padrona di casa.

«Dopo secoli tanti, errano tuttora», recitò ancora, «del nefando teatro entro i confini, le misere animucce.»

Poi tacque e scivolò a terra.

93.

Il Tavani aveva dato al suo passeggero una risposta tutt'altro che rassicurante circa il tempo necessario al biroccino per riprendersi e rimettersi in viaggio.

«Dipènt.»

Dipende.

«Come se fa a dìl, iscì.»

Come si faceva a dirlo così, su due piedi, prima di partire.

Un tempo variabile.

Come l'altro tempo di quel posto, su quel lago, che nel giro di poche ore da una promessa di tempesta era passato a un panorama di calma e silenzio.

Per starsene un poco in pace e pensare ai casi suoi, l'alienista si era allontanato. Perché era vero che il Tavani parlava praticamente solo dialetto, ma difficilmente si concedeva delle pause, e, convinto di poter essere inteso da chiunque, pretendeva di venir compreso. E magari che gli si rispondesse pure. Si era avviato sul lungolago, camminando in direzione dell'attracco del battello, fermandosi di tanto in tanto a guardare l'acqua scura e a scrutare le poche luci sulle rive, analoghe a tante piccole fiammelle in un telo nero. Se avesse dovuto giudicarlo in quel momento, Lombroso avrebbe detto che il lago era luogo più popolato di assenze che di presenze, tenebroso anche. E quanto mai difformi dalla realtà gli parvero i numerosi acquerelli che aveva visto di quel posto, più incline invece a pennellate grasse e improvvise, guidate magari dalle mani di pittori tedeschi, in assoluto i migliori nel ritrarre lo sconfortante spaesamento che la natura a volte sa creare.

A quei pensieri lo tolse un fischio.

Era il Tavani che lo richiamava, manco fosse un cane. Il biroccino era pronto a riprendere il viaggio e bisognava andare.

Tornò a salire sul marchingegno, alla destra del Tavani.

«Andiamo», disse.

Ma con juicio.

94.

Giuditta Carvasana era subito corsa a sollevare da terra la Birce pensando che fosse svenuta, ma quando l'aveva afferrata per le spalle s'era resa conto che non era così.

La giovane aveva gli occhi aperti, benché lo sguardo non fosse presente, e piangeva silenziosa.

«Cosa c'è?» aveva chiesto, ma non aveva ottenuto risposta.

La Birce s'era rimessa in piedi da sé, aveva lasciato che il braccio della padrona di casa continuasse a sostenerla.

«Cos'è successo Birce, dimmelo», aveva insistito la Carvasana.

Ma la Birce si era comportata come se non sentisse. L'impressione che Giuditta ne aveva avuto era stata che la giovane fosse un po' lì e un po' altrove.

Dove, chissà?

L'aveva accompagnata fuori dallo sgabuzzino, la Birce l'aveva seguita senza opporre resistenza.

Sempre piangendo.

Un pianto sconsolato che aveva fatto venire i brividi alla padrona di casa. C'era un'angoscia dentro quelle lacrime che andava oltre la sua comprensione. Era l'espressione di un dolore che non poteva appartenere tutto e solo a una ragazza giovane come la Birce.

Sembrava il pianto di decine di madri cui avessero strappato i figli...

E forse era stata solo una coincidenza, ma nel momento in cui la Carvasana aveva formulato quel pensiero, la

Birce aveva voluto abbracciarla dopodiché lentamente, restando così, ferme, nel buio del corridoio, si era calmata.

La Carvasana aveva percepito che quel momento così denso di dolore e di mistero stava svanendo avvertendo nel corpo della giovane farsi largo una stanchezza che gliel'aveva resa più pesante, come se non avesse più l'energia per reggersi in piedi e avesse bisogno di appoggiarsi a lei per non cadere a terra.

Con fatica l'aveva accompagnata lungo le scale e poi adagiata nel suo letto. La Birce si era addormentata pressoché all'istante.

Per la seconda volta Giuditta si era sdraiata completamente vestita, incapace di prendere sonno, rivisitando le scene cui aveva da poco assistito e facendosi decine di domande sulla ragazza che il rettore le aveva raccomandato.

Non riuscì a capire che ore fossero quando ebbe la sensazione di aver sentito un colpo.

Si mise a sedere sul letto, attenta al più piccolo dei rumori, incerta se l'avesse sentito davvero quel colpo o forse solo sognato perché nonostante tutto il sonno l'aveva vinta.

95.

Dormito, lui?
«No», rispose Cesare Lombroso.
«Ve disi de sì!» insisté il Tavani.
Dormito e ronfato anche.
E da un bel pezzo.
Da quando il trabiccolo del genio elettrico s'era lasciato alle spalle la tratta tra Bellagio e Lecco e lo scienziato aveva smesso di guardare con un certo terrore il buio di roccia da una parte e di acqua scura dall'altra. Un buio dentro il quale si poteva finire in un amen se il Tavani avesse chiuso anche per un solo istante gli occhi, preda di un colpo di sonno. Una volta usciti da quell'oltraggioso intestino invece Cesare Lombroso si era lasciato prendere dallo sfinimento e anche cullato da un'incomprensibile nenia cantata a mezza voce dal vetturino aveva chiuso gli occhi e si era addormentato.
Poiché però scienza e scienziati non hanno requie, non volle ammettere di aver ceduto al sonno.
Per il Tavani non faceva differenza alcuna.
«Ecco Bellano», disse infatti.
E dov'era?, si chiese l'alienista.
Vedeva del gran buio intorno a sé.
Non solo Bellano.
«Villa Alba», precisò il Tavani.
Non era lì che il suo passeggero voleva andare?
Ce l'aveva portato.
Mentre lui... insomma, dormiva oppure, se preferiva,

rifletteva a occhi chiusi e ronfando, lui era entrato nel paese, l'aveva cercata e trovata.

«L'è lì drèe.»

Dietro l'alta siepe di biancospino che la nascondeva alla vista. Quasi invisibile anche per il buio. Più buio ancora era il portone verso cui Cesare Lombroso si diresse non prima di aver saldato il conto col Tavani e averlo congedato, a malincuore, perché temeva di dover aspettare l'alba in solitudine nel caso nessuno gli avesse aperto. In fin dei conti erano le tre del mattino. E poi, ma non lo disse, quella villa gli dava l'impressione di essere disabitata.

Il portone era privo di campanacci né vide maniglioni o altri aggeggi da manovrare per richiamare l'attenzione di quelli di casa.

Bussò una prima, poi una seconda volta.

Giuditta Carvasana fu certa di non aver sognato. Erano colpi quelli che sentiva, colpi di qualcuno che batteva al portone.

A quell'ora di notte?

D'acchito ebbe una fantasia che non riuscì a reprimere: che a battere quei colpi fosse la Birce. Si spaventò del suo stesso pensiero ma, mentre i colpi continuavano, si alzò e corse nella camera della giovane per controllare che fosse ancora a letto.

Dormiva.

Ma le sembrò più morta che viva.

Si avvicinò al letto con cautela come temesse che a ogni passo potesse cadere, sprofondare nel buio del pavimento. Scosse la Birce per una spalla senza riuscire a svegliarla.

Adesso sudava.

Avvicinò l'orecchio alle labbra della ragazza e infine ne percepì il respiro, lieve ma regolare. Con la guancia ne sfiorò la punta del naso, fredda, e si ritrasse spaventata.

In quella ragazza qualcosa non andava, c'era...

Sentì ancora un paio di colpi e si avviò per scendere con un'ansia crescente. Sulle scale, forse per via del rimbombo, non riuscì a capire da che parte provenissero quei colpi, non le sembrava più che ci fosse qualcuno che picchiasse al portone.

Il pensiero che quei colpi potessero provenire dallo sgabuzzino che la Birce aveva scoperto la spinse contro la porta dello stesso. Ma nel momento in cui appoggiò l'orecchio alla porta udì una voce.

Maschile.

«...di casa!» riuscì a sentire.

C'era qualcuno ed era al portone.

Qualunque cosa, adesso.

La Carvasana avrebbe fatto qualunque cosa pur di uscire dall'ansia che era andata accumulando dal tardo pomeriggio in poi, anche aprire senza chiedere chi era, anche se si fosse trattato del diavolo in persona.

Quando aprì il portone si trovò di fronte a un arruffato signore che non aveva mai visto in vita sua.

«Sì?» disse.

Si sentiva pronta a sfogare su di lui tutta la tensione che aveva accumulato.

«Sono Cesare Lombroso», disse l'uomo.

«E allora?» fece lei.

«Cerco Eusapia Palladino», si spiegò l'alienista.

La Carvasana piegò di lato la testa.

«E perché la cercate proprio qui?» chiese.

Il Tavani era partito, l'alba era ancora lontana.

Dove l'avrebbe attesa se quella sconosciuta non gli avesse dato riparo?

96.

Ancora lontana l'alba, ma sarebbe sorta infine e sarebbe stata un'alba di gloria.

Ederardo Falcarotti si versò l'ennesimo cognac così da mantenere lo stato di spensierata ubriachezza con il quale voleva attendere il sospirato nascere del giorno per vedere, nero su bianco, ciò che aveva scritto circa la Palladino.

Un pezzo magistrale, forse un capolavoro.

Quale altra penna del giornalismo nostrano sarebbe riuscita a scrivere un intero articolo partendo dalle scarne risposte che la medium gli aveva dato?

Lui c'era riuscito, grazie a intuito, creatività e cognac. E ciò che aveva scritto non avrebbe mancato di sollevare discussioni perché, un bicchierino via l'altro, mentre scriveva le idee gli si erano fatte sempre più chiare e ardite fino al passaggio clou del pezzo, là dove aveva insinuato che la scienza moderna non lo fosse poi così tanto, piuttosto ancora all'inizio della propria vita, alle prese con l'abbiccì!

Rilesse con un po' di fatica, perché qualche riga andava a sovrapporsi alle altre, il passaggio che gli era costato più di un'esitazione e che infine aveva licenziato con un Eureka! di gioia.

«Ecco cosa rappresenta nel panorama scientifico odierno una figura come Eusapia Palladino, la quale, sapendo di non sapere, ma più di ciò che noi sappiamo, ammanta di segreto le sue parole e si affida a quell'avverbio che par meschino ma dice invece ben più di ciò che vuol significare quando esce dalle sue labbra esangui: forse! Eccola dunque che passa dalla nostra città, quasi insalutata ospite se non fosse per la sagacia del vostro cronista. È in mezzo a noi per solo diporto oppure per qualcuno dei suoi esperimenti? Forse, ella risponde a mezza voce. Accontentiamoci di ciò che pare poco, di un forse che forse, invece, nasconde la chiave del mistero.»

97.

“Bravo questo giovanotto”, commentò tra sé Eusapia Palladino la mattina del 10 agosto dopo aver ultimato la lettura dell’articolo del Falcarotti.

Il giorno prima, durante l’intervista, le aveva dato l’impressione di essere solo un vanitoso. Invece adesso, letto ciò che aveva scritto, aveva dovuto ricredersi: nonostante il fumo di tutte quelle parole scritte per riempire uno spazio bianco, lasciava intuire di aver compreso più di ciò che lei aveva voluto lasciargli intendere.

Richiuse il giornale con un sorriso.

Le parole del Falcarotti certo le avevano fatto bene.

Ma più di ogni altra cosa a darle una sensazione di lievità era il panorama che vedeva intorno a sé, dalla prua del battello che risalendo a zig zag il lago la stava portando a Bellano, dalla sua amica Giuditta Carvasana.

A villa Alba non sarebbe giunta che verso mezzogiorno, il Brusca l’aveva avvisata.

«Tre ore secche col battello!»

Se voleva però c’erano altri mezzi un po’ più rapidi per compiere il tragitto. Ma la Palladino aveva rifiutato e aveva fatto bene, prima di tutto perché solo dal battello si poteva avere una visione del panorama assolutamente unica ma anche, soprattutto anzi, quella lentezza le stava facendo bene, ne ricavava un senso di pace, allontanando ancora di più le immagini e gli echi di tutto ciò che di male e grottesco era stato detto e scritto su di lei.

Non appena il battello doppiò la punta di Morcate, la

medium prese dalla borsa un minuscolo binocolo acquistato una sera in occasione di una rappresentazione milanese della *Norma* di Vincenzo Bellini. Purtroppo la riva bellanese era ancora in ombra, il lago tagliato in due settori, luminoso da una parte, scuro invece, poco ospitale dall'altra. Alla Palladino venne in mente che quella era l'immagine dei due mondi dentro i quali si svolgeva la sua vita, uno reale dove il sole sorgeva e lei si comportava come ogni altro essere umano e l'altro, quello oscuro, con il quale entrava in contatto di tanto in tanto. Un mondo che spaventava chi non voleva credere alla sua esistenza, spesso ostile anche con lei, il mondo buio e sotterraneo che lei non aveva fatto niente per cercare: era stato lui a chiamarla, non aveva potuto fare niente per sottrarsi alle sue voci.

Avesse potuto l'avrebbe fatto?, si chiese la Palladino improvvisamente seria, la lievità di poco prima scomparsa d'un tratto.

La malinconia la colse.

Be', si diceva che il lago fosse foriero di malinconia, tristezze di varia portata. Dovette chiudere gli occhi per ricacciare lacrime improvvise quando sulle ali di quella malinconia le tornarono immagini delle sue umili origini in quel di Minervino Murge, della promiscuità di quegli anni, degli abusi subiti e anche dei teneri, semplici affetti che aveva maturato. Per vincere la tristezza cominciò a canticchiare la dolce romanza dell'opera di Bellini. Le parve di sentirla nell'aria, o nell'acqua. Poi la voce di un marinaio che avvisò dell'avvicinarsi dello scalo di Bellano la riportò del tutto alla realtà.

Era arrivata.

Insomma, quasi.

La disilluse un rozzo deputato di terra all'attracco del battello cui chiese la strada per raggiungere villa Alba. Quello, senza che se ne fosse dato per inteso, rispose qualcosa in dialetto e scrollò le spalle.

L'aiutò tal Notaresti, commerciante in stoffe ma soprattutto bon vivant, che stazionava regolarmente al caffè dell'Imbarcadero senza perdere nessuna delle turiste che scendevano dal battello perlopiù attirate dalla fama dell'Orrido. Belle o brutte, al Notaresti non ne scappava una, purché non fossero già accompagnate. Notando lo spaesamento della medium la raggiunse baldanzoso. Ma, una volta che le fu vicino, scrutatala per bene, decise di rinunciare al teatrino del corteggiamento per invitare infine la preda a visitare la sua collezione di stoffe preziose che teneva in apposito magazzino dotato di tutti i comfort. Secondo lui quelle brutte, proprio perché tali, non avevano il diritto di fare troppe storie, non potevano fargli perdere tempo con troppe manfrine.

Per tutta risposta la Palladino gli piantò in viso uno sguardo davanti al quale il Notaresti si turbò.

«Siete sicuro di volerlo proprio?» chiese poi la medium, evocando una delle voci che usava nei momenti in cui le toccava simulare.

«Purtroppo sento che mi chiamano», rispose quello, «mi tocca andare.»

Ma, prima di rispondere all'immaginario richiamo, non rinunciò ai doveri del gentiluomo e indicò alla medium, come da richiesta, la strada per raggiungere villa Alba.

98.

Una per una, raggranellandole con un passaggio porta a porta, la Perseghèta mise insieme il plotone delle Venerande Vivandiere.

Bando alle esitazioni, suo marito, per quanto avesse le gengive orfane, aveva ormai più denti in bocca che dita attaccate alle mani: era giunto il momento per un trapasso nella conduzione dei poderi del rettorato.

Aveva studiato bene l'orario, non voleva impicci. Lasciò quindi che l'Arcadio andasse per i prati sotto il Moiac dove aveva ancora fieno da segare e poi attese che la Serpe partisse a sua volta portandogli la colazione e altre due braccia da fatica.

Quindi partì alla testa delle ammutinate.

Vedendosi davanti quella squadra di sbilenche, il rettore non pensò niente di che sulle prime, tranne che ci voleva tutta la sua abitudine alla continenza per non uscirsene con una risata.

«Cosa succede?» chiese.

«Abbiamo bisogno di conferire con voi», spiegò la Perseghèta.

Conferire!, rifletté il rettore.

Faccenda seria allora.

Non gli sfuggì che in quell'accolita di femmine maledette dall'artrosi mancava la Serpe. Intuì allora che la faccenda era davvero seria e che a breve ci si sarebbe trovato in mezzo senza possibilità di cavarsela salvando capra e cavoli.

Una disdetta, perché proprio la sera precedente s'era recato in casa dell'Arcadio e della Serpe per dire loro due paroline.

Proprio due per avviare il discorso.

«Arcadio Arcadio...»

Sufficienti perché alla Serpe venisse la pelle di cappone, anche se non di quelli ma di galline il rettore era andato lì per parlare, della strage di cui ormai parlava l'intera frazione: chiunque ormai si sentiva autorizzato a pensare che lui e la Serpe cominciassero a essere inadeguati al ruolo di factotum per i beni del rettorato.

«Anche voi?» era sbottata la Serpe.

No, lui no.

Lui, non ancora.

Lui stava ancora dalla loro parte.

«Usque tandum, però?»

Cioè, in soldoni.

Lui rettore poteva ancora difenderli, chiamare in causa il caso, la sfortuna.

«Sed quisque faber sfortunae suae», aveva sentenziato.

In sostanza, il suo potere non era infinito, se certe voci, volando sulle ali della fama, avessero raggiunto altre orecchie sarebbero stati guai per loro poiché a certi ordini che giungevano dall'alto lui non poteva disobbedire.

«Ma la seconda roba?» aveva chiesto la Serpe che lo aveva seguito leccandosi le labbra come una lucertola. «La seconda roba che avete detto cosa significa?»

«Significa che, ammettendo che la sfortuna abbia messo nel mirino la vostra casa, voi dovrete raddoppiare gli sforzi per evitare che vi procuri altri guai. Siamo intesi?»

Dopodiché, prima di uscire e tornare nelle sue stanze, aveva benedetto la povera casa dei due e li aveva salutati ponendo loro le mani sulle spalle con gesto di vero, sincero affetto.

99.

Nonostante gli zii glielo avessero sconsigliato, la zia con più insistenza rispetto allo zio, Erinio aveva deciso che sul monte Legnone ci sarebbe andato da solo.

D'altronde, anche a voler trovare compagnia, a chi avrebbe potuto chiedere?

A Bellano non conosceva nessuno pur essendoci nato.

Ma per caso!

Era successo quando sua madre Ferilla, incinta e in gita di piacere, si era trovata in preda alle doglie a casa della sorella Ginetta e del cognato Nemore. Erinio era stato partorito lì, sul tavolo di cucina, settimino e un po' asfittico. Tutto poi era andato bene e le due sorelle, da quel momento in poi, s'erano viste sempre più di rado. Dopodiché in casa di zio Nemore e di zia Ginetta era comparso quel nipote che prima avevano visto nascere e poi si erano trovati sotto gli occhi già studente all'università: geologia, materia strana che aveva dato adito a un lavoro ancora più strano. Era accaduto un paio di anni prima, quando la Ferilla aveva chiesto a sua sorella se lo potevano ospitare per qualche giorno d'estate dandogli modo di poter svolgere l'importante incarico che il suo professore gli aveva dato, prendere a martellate le rocce del posto per portarle poi a Torino, come se là mancassero i sassi.

Curiosi, i due zii avevano voluto capire cosa avesse spinto il giovanotto a scegliere un lavoro così misterioso. L'avevano bombardato di domande ottenendo sempre risposte, chiare nelle intenzioni del nipote, un po' meno per quanto riguardava la comprensione da parte loro. Risposte comunque sempre gentili, un resoconto pressoché completo di ciò che l'aveva portato a iscriversi alla facoltà di geologia dopo una fase di incertezza con quella di matematica, materia della quale era sempre appassionato, al punto da seguire ogni tanto, per puro piacere, le lezioni di un certo professor Artimori. Nel giro di pochi giorni, dopo il suo primo ritorno a Bellano, l'Erinio, un po' per i bei modi e la gentilezza, un po' perché la Ginetta e il Nemore non avevano avuto figli, era diventato prezioso per gli zii: doloroso il momento in cui ripartiva per Torino, spasmodica l'attesa di un suo nuovo ritorno. La stessa reazione avevano avuto i vicini di casa dei due zii bellanesi, provocando in verità un poco di gelosia da parte dei due: all'inizio l'avevano guardato con rispetto, alcuni, pochi, con sospetto per via del suo andare per montagne tornando con uno zaino pieno di sassi, poi via via con affetto e simpatia, poiché mai all'Erinio mancava una parola gentile o spiritosa da dire a chiunque.

Erinio fece un rapido conto mentale di ciò che aveva messo nello zaino: qualche indumento di ricambio, un paio di michette preparate dalla zia Ginetta, la borraccia con l'acqua, degli straccetti per avvolgere le rocce, un quadernetto per prendere appunti (data, ora e luogo della raccolta)... Mancava un'ultima cosa, essenziale al compito che si preparava a eseguire: il suo fedele martelletto da geologo senza il quale nessuna roccia gli avrebbe ceduto una pur piccola parte di sé. Lo lustrò per l'ennesima volta prima di metterlo nello zaino. Poi si recò in stazione dove, seduto su una panchina abbracciando lo zaino, attese il treno con il quale avrebbe raggiunto Colico, base di partenza per la sua salita verso il rifugio Alpe Scoggione, lungo il crestone nord della montagna.

100.

L'abbraccio con il quale si salutarono Cesare Lombroso ed Eusapia Palladino fu un gesto di vero affetto, simpatia, felicità e anche sorpresa di trovarsi lì, una di fronte all'altro.

Giuditta Carvasana tirò un sospiro di sollievo e corse dalla cucina verso il portone di villa Alba per unirsi ai due e fare gli onori di casa alla sua amica.

I due si conoscevano davvero, l'alienista non le aveva raccontato frottole, adesso ne era sicura.

In un certo senso non aveva dubitato di ciò che il Lombroso le aveva raccontato di sé e del suo rapporto con la medium.

Ma, insomma, in fin dei conti le era capitato in casa alle tre di notte, praticamente dicendo che doveva incontrarsi con la Palladino e che la stessa medium gli aveva comunicato di trovarsi lì.

«Ma a me la signora Palladino non ha detto niente e poi qui non c'è», aveva obiettato lei, avendo cura di parlare ad alta voce, anche se non aveva speranze che qualcuno la sentisse, e di tenere quel personaggio sulla soglia del portone.

«Si sarà dimenticata di avvisarvi, ma per il resto vedete bene che arriverà», aveva spiegato Lombroso.

E lui aveva affrontato un viaggio lungo e faticoso proprio per quella ragione: incontrarla, e proprio lì.

«Altrimenti me ne sarei rimasto a Torino!»

«Vi posso comprendere», aveva opposto la Carvasana,

«ma mettetevi nei miei panni. Potreste essere chiunque!»

All'alienista era salita la mosca al naso. Aveva avuto un'impennata d'orgoglio.

«Potrei dire lo stesso di voi ma non lo faccio», aveva ribattuto. «In ogni caso posso dimostrarvi chi sono con tanto di documenti!»

La Carvasana aveva verificato la corrispondenza tra identità dichiarata e quella scritta. Ma ancora non se l'era sentita di far entrare in casa l'uomo.

Lombroso allora aveva deciso di tagliare la testa al toro.

«Cara signora», aveva detto, «non è mio costume piatire un piatto di minestra o un letto. Io vi ho detto la verità. Sta a voi credermi. Se la cosa non vi garba vuol dire che mi accomoderò qui, sulla strada, suolo pubblico, sopra il quale starò sino a domani quando la Palladino arriverà.»

A quel punto la padrona di casa aveva cominciato a cedere.

«Non ho detto che vi voglio tenere sulla strada...»

«Per intanto mi state tenendo sulla porta di casa!»

«Entrate», l'aveva invitato la Carvasana a denti stretti.

E l'aveva fatto accomodare in cucina dove, vedendolo meglio, s'era parecchio tranquillizzata.

«Non ho i tratti del criminale eh?» aveva scherzato Lombroso.

Effettivamente, no, aveva ragionato la Carvasana.

Piuttosto sembrava un buongustaio, un pacioso signorotto di campagna dedito alla caccia e alle buone letture, che passava il tempo libero lisciandosi il lungo pizzetto.

Approfittando del piccolo credito che la padrona di casa gli stava concedendo, l'alienista si era dilungato a spiegare come e perché era diventato non solo buon amico ma vero e proprio mentore della Palladino e delle sue doti.

Due cose infine avevano convinto la Carvasana a dare

ospitalità a Lombroso: il sonno che la stava prendendo, veicolato anche dal lungo monologo dell'inatteso ospite, e la considerazione che all'alba ormai non mancava più di tanto.

«Però», aveva detto dandogli licenza di restare.

«Purtroppo di sopra ho solo due camere», aveva mentito, «la mia e quella della cameriera. Vi dovrete accontentare di un divano, peraltro assai comodo, nella sala di musica.»

«Andrà più che bene», aveva assicurato l'alienista.

E una volta sdraiato era partito per il mondo dei sogni come un sasso, svegliato dalla Carvasana che invece aveva atteso l'alba e l'arrivo della medium senza riuscire a chiudere occhio: un piccolo dubbio aveva continuato a roderla.

Anche la Birce infatti, a tutta prima, sembrava un angioletto e invece quanti spaventi, quante sorprese cui avrebbe volentieri rinunciato le aveva procurato nel giro di poche ore!

Aveva atteso con impazienza che il momento della prova del nove giungesse. Lombroso, dopo rapide abluzioni e un'altrettanto frettolosa colazione, aveva chiesto licenza di ritirarsi nella sala di musica per studiare certe carte.

Lì dentro era andata a chiamarlo la Carvasana quando la Palladino si era infine presentata davanti al portone di villa Alba.

«È qui?» aveva chiesto Lombroso.

«È al portone», aveva detto la Carvasana.

«E non la fate entrare?»

«Pensavo di chiedere a voi di andare a riceverla.»

«Io?» chiese Lombroso.

«Certo», confermò la Carvasana.

Voleva quella prova a conferma definitiva che i due si conoscessero davvero.

«Pensate alla sorpresa quando vedrà comparire voi e non me.»

101.

Una sorpresa, a dir poco.
Una fortuna, a dirla giusta.
Umberto Politti non poté fare altro che pensare alla fortuna, quella con la effe maiuscola, dopo aver letto l'intervista del Falcarotti alla Palladino.
Fortuna per un sacco di ragioni.
La prima, il platonico innamoramento che la moglie del Defedè aveva nei suoi confronti: l'aveva trovata quella mattina mentre scendeva per uscire e lei, con un sorriso, gli aveva porto il giornale che acquistava tutte le mattine.
«Se volete dargli un'occhiata...»
Gliel'aveva data lì per lì, giusto per non offendere l'Albarella.
E meno male!
La seconda, quella che il Falcarotti era suo amico, avendo condiviso con lui la frequentazione del collegio convitto Plinio, eccellenza tra gli istituti privati di Como: quindi poteva dirgli dove si trovava la Palladino e magari fargli da tramite per un abboccamento.
La terza, quella di essere solo a casa, mamma e soprattutto papà ancora in quel di Bordighera a respirare arie salsoiodiche.
Perché sennò...
Giusto un paio di mesi prima infatti l'Umberto, già infiammato di ammirazione per l'alienista torinese, s'era lasciato andare a confidenze col genitore. Questi aveva

perlopiù finto di conoscere l'uomo e l'opera e il fatto aveva talmente ben predisposto il figlio a perseguire il suo fine da prestare al padre una copia di *Genio e follia* affinché si rendesse conto della strada che il figlio aveva in animo di imboccare, lasciando ad altri i danarosi rincoglioniti del Santa Geraldina.

Non l'avesse mai fatto!

Leggiucchiato il libro, il genitore aveva scatenato l'uragano.

Ma cosa s'era messo in testa di fare suo figlio, l'anarchico, il rivoluzionario?

Voleva fondare un nuovo ordine sociale seguendo le teorie di quello squinternato, di quella disgrazia dell'umanità, disgrazia vera e propria, visto che era nato nel 1835, lo stesso anno del passaggio della cometa di Halley che come tutte le comete lasciava dietro sé una scia di eventi infausti?

Da che mondo è mondo il delinquente era colpevole e se le patrie galere traboccavano di simili galantuomini, voleva dire che andava bene così.

Alla fine della sparata il genitore aveva preso la copia di *Genio e follia* e l'aveva gettata nel camino, peraltro spento, volendo significare che quella era la fine che meritavano libri del genere e anche i progetti di suo figlio.

Umberto Politti non aveva mai abbandonato però l'idea di farsi psichiatra. Nascostamente s'era ricomprato *Genio e follia* come tutte le pubblicazioni lombrosiane sulle quali era riuscito a mettere le mani e da poco, restandone affascinato, aveva terminato la lettura di *Le più recenti scoperte ed applicazioni della psichiatria ed antropologia criminale.*

Lui, Lombroso, era l'uomo nuovo, la sua era la rivoluzione alla quale voleva prendere parte.

Ma per entrare nell'eletta schiera doveva cavarsela da solo.

102.

«Tanto per cominciare entrate», disse il rettore alle Venerande Vivandiere.

Le più varcavano quella soglia per la prima volta.

Bestiole, non riuscì a trattenere nella mente il rettore.

Guardavano con occhio sgranato il pavimento lustro, il muro candido, i quadri religiosi, e poi annusavano l'ineffabile odore, minestra, incenso, cera per pavimenti, che inondava il corridoio.

«Va bene qui.»

Non fu il rettore a dirlo quando la pattuglia fu a metà del corridoio, tra l'ingresso della cucina e quello dello studio del sacerdote.

Venne dalla Perseghèta l'ordine di fermarsi.

«Non vi vogliamo far perdere tempo ed è cosa breve», comunicò.

«Ditemi dunque», le invitò il rettore pur sapendo che una sola, lei, quella che s'era messa in testa al gruppo, la Perseghèta insomma, avrebbe parlato per tutte.

«Ecco», partì la capopopolo.

Niente di personale.

Nessuna invidia, men che meno vendetta o altro.

«Il bene del santuario solamente», affermò la Perseghèta.

E, per conseguenza, quello del signor rettore.

Ma a loro tutte pareva che i fatti recenti...

«Quali?» chiese il rettore.

Le uova che non erano state deposte dalle galline,

quelle stesse galline, sempre, solo quelle!, che erano state scannate dalla faina, e poi l'impoverimento stante altra destinazione di una forza giovane e fresca per lavori che proprio di giovani e fresche forze abbisognavano...

«Vi riferite all'Arcadio e a sua moglie?» chiese il rettore.

«E a chi se no?» rispose la Perseghèta, felice che i nomi li avesse fatti lui per primo.

Lei, no!

Lei aveva citato fatti!

E su quelli aveva, cioè, avevano ragionato tutte assieme.

«Non è questione di quei due però», aggiunse la Perseghèta.

Loro o altri era lo stesso.

L'agire, piuttosto, a giudizio di tutte le Venerande metteva in dubbio il rispetto dei patti che condizionavano l'incarico di curatori dei poderi del rettorato.

E forse era venuto il momento di prendere una decisione.

«Sarebbe?» chiese il rettore.

«Ecco», fece la Perseghèta raddrizzando la schiena, il momento cruciale era arrivato, «noi tutte avremmo pensato che l'Arcadio e la Serpe non riescono più a tener fede ai patti.»

«Quindi?» fece il rettore.

«Quindi, noi tutte...»

«Voi tutte...»

A quel punto una voce estranea si inserì nel duetto.

Un mezzo grido più che una voce.

Giustificato dal fatto che colei che l'aveva emesso s'era appena presa una gomitata nel costato quale avviso che toccava a lei parlare.

«Cosa c'è?» chiese il rettore.

«Ci sarebbe...» fece la voce.

«Ma venite avanti, non statevene nascosta lì dietro», la invitò il rettore.

La Recondita allora, sotto lo sguardo incredulo della

Perseghèta, si inserì nel varco che le altre Venerande le fecero.

«Ci sarebbe?»

A riprendere il discorso là dove era stato interrotto non furono né la stessa Recondita né il rettore.

La Perseghèta invece che cominciava a sentire odor di ribellione. La Recondita aveva un viso che non avrebbe sfigurato tra quelli delle donne ai piedi della Santa Croce in un momento della deposizione. Arditamente percorse lo spazio e si fece sotto al rettore.

«Ci sarebbe che le cose a noi stanno bene come sono», sputò in modo che il solo rettore potesse sentire.

«Ho capito bene?» chiese il sacerdote.

Tutte le Venerande, tranne la Perseghèta, fecero sì col capo, fidando nel fatto che la Recondita avesse detto ciò che tra di loro avevano deciso la sera precedente, la Perseghèta artatamente esclusa, durante una riunione sediziosa a casa della stessa Recondita: cioè che, strega o non strega che fosse, non conveniva inimicarsi la Serpe. Se costei ce l'aveva con la Perseghèta erano affari delle due in cui nessuna di loro voleva entrare. Quindi meglio mantenere lo status quo, da cui la decisione.

Il rettore incrociò le braccia al petto.

«Be'», disse, «se le cose stanno così, non capisco il motivo della vostra visita.»

Nessuna delle Venerande rispose. La Perseghèta forse avrebbe voluto dire qualcosa, ma le tremava il mento, segno che le stava salendo una febbre oppure che le parole le si accalcavano con troppa furia sulla lingua.

«Naturalmente», aggiunse il rettore, «la mia porta è sempre aperta.»

103.

Giuditta Carvasana aveva riso dei dubbi che aveva covato fino all'abbraccio chiarificatore tra Cesare Lombroso e la medium.

In cucina, mentre pranzavano, la Palladino aveva fatto una lunga presentazione dell'alienista, nel corso della quale la padrona di casa si fece via via sempre più seria apprendendo chi fosse il personaggio che aveva fatto entrare nella sua villa.

«Troppo onore», disse Lombroso quando la Palladino esaurì gli elogi.

«E siete anche voi in vacanza oppure...» lasciò cadere la Carvasana.

«Oppure», rispose Lombroso.

Ma, aggiunse immediatamente, non voleva tediare la sua gentile ospite con discorsi oscuri: avrebbe parlato con la medium di ciò che l'aveva spinto fin sul lago di Como più tardi, nel corso del pomeriggio.

«Come volete», accettò la Carvasana, anche se, tutto sommato, pur capendo poco o quasi niente delle materie di cui lo studioso si occupava, avrebbe assistito volentieri alla loro conversazione.

Nel mondo evocato dalla Palladino e nelle idee di cui il Lombroso aveva accennato qualcosa, c'era più di una spina per la sua curiosità. E un'inquietudine che la spinse a dire: «Starò zitta. Sempre che non vi dia fastidio».

Lombroso fu lì per rispondere che la cosa gli era indifferente: nel caso si fosse annoiata troppo era pur sempre libera di andarsene.

Non fece in tempo, perché in quel momento nella cucina fece il suo ingresso la Birce.

Tutti e tre si voltarono a guardarla con la stessa sorpresa. I due ospiti perché non avevano idea di chi fosse, la Carvasana perché s'era dimenticata di lei.

«Oh!» le sfuggì.

Lombroso, da gentiluomo qual era, si alzò in piedi, in attesa di essere presentato. La Carvasana però adesso stava guardando la Palladino che a sua volta la fissava, la fronte aggrottata. La Birce, ferma sulla soglia della cucina, sembrava non avesse dormito nonostante la padrona di casa fosse certa del contrario.

«Birce», uscì infine dalla bocca di Giuditta.

Che l'avesse nominata per richiamarla alla realtà o per presentarla agli ospiti non fu chiaro.

La giovane, scusandosi con un semplice cenno del capo, si allontanò.

«Ma chi è?» chiese la Palladino.

«Una giovane del luogo», spiegò la Carvasana, «sostituisce la mia cameriera fino a che non potrà tornare.»

La medium si passò una mano sul viso. Lombroso era ancora in piedi, indeciso sul da fare.

«Vi posso parlare un minuto?» chiese la Palladino.

104.

Un minuto solo.

Gli sarebbe bastato un solo minuto e in quell'arco di tempo brevissimo Umberto Politti avrebbe spiegato ogni cosa al suo amico giornalista Ederardo Falcarotti.

Dopodiché era certo che quello non gli avrebbe negato il favore che gli avrebbe aperto la porta sul futuro. E se per beccarlo doveva saltare un giorno di lavoro al Santa Geraldina senza alcuna plausibile giustificazione, se addirittura doveva correre il rischio di perdere il posto con la certezza di scatenare un uragano in famiglia, ebbene l'avrebbe fatto, avrebbe corso il rischio. Qualunque rischio piuttosto che diventare come l'Armandola o il suo ovino assistente. Tuttavia l'idea di dover affrontare la malagrazia del portiere della «Provincia» oppure la sferzante ironia del caporedattore lo consigliò di agire diversamente.

Un appostamento, ecco quello che ci voleva.

Cogliere il Falcarotti mentre entrava o usciva dal giornale, cosa che a suo giudizio i giornalisti dovevano fare spesso, e quindi agire.

Per quello il Politti, letta l'intervista con la Palladino, si era posizionato strategicamente dietro una vetrata del Caffè del Bottegone, spiando, tra una tazzina di caffè, un bicchierino di elixir Volta e uno di liquor Plinio, l'ingresso del quotidiano.

Quando si era piazzato aveva pensato che stante l'orario era possibile che il suo amico si trovasse già al tavolo di lavoro.

Dopo un'ora abbondante, e due caffè, aveva rivisto l'idea: forse non era ancora arrivato.

Ma dopo un'altra ora e mezza quasi due, e un elixir Volta centellinato come se fosse un bicchierino delle gocce imperiali dei frati di Piona, aveva pensato che forse il Falcarotti aveva passato la mattina alla scrivania avendo da lavorare su materiale raccolto il giorno prima e che quindi non sarebbe uscito che all'ora di pranzo. Tuttavia, dopo aver consumato il terzo caffè della giornata, seguito da un bicchierino di liquor Plinio astutamente diluito con molta acqua, aveva cominciato a nutrire qualche dubbio sulla buona riuscita del suo piano.

Qualche dubbio era venuto anche al cameriere del Bottegone che era andato per via diretta e, dopo un'ora di attenta osservazione, l'aveva avvicinato dicendogli senza mezzi termini che quello era un caffè e non una sala d'attesa, quindi o consumava o andava fuori dalle balle.

Il Politti aveva fatto il bilancio di quello che aveva in tasca e in testa.

Soldi sufficienti per un secondo bicchierino di elixir Volta buttato giù in un fiato così che in testa gli era nato il coraggio per affrontare il portiere del quotidiano e chiedere notizie del suo amico Falcarotti.

105.

«Quella ragazza», disse Eusapia Palladino, «sapete chi è?»

«Non ne ho la minima idea», rispose l'alienista. «Cioè, so quello che ci ha detto la padrona di casa, una cameriera.»

Per parlare i due erano usciti dalla villa. Si erano portati sulla terrazza che si apriva verso il lago oltre l'atrio, sulla destra.

«Vi interessa in maniera particolare?» chiese Lombroso.

«Non l'ho mai vista», rispose la Palladino.

«E allora?»

La medium inspirò a fondo.

«Lo sentite anche voi?» chiese poi.

Quell'odore così strano, nuovo, particolare.

Quasi un profumo.

Chissà cosa contribuiva a formarlo, se l'acqua del lago, le muffe e le alghe che vi crescevano sotto, oppure l'aria che si nutriva dei suoi invisibili umori o di quelli che esalava la terra, oppure tutte queste cose insieme, mischiate, legate una all'altra in un intreccio che diventava un'altra, ben precisa cosa.

Lombroso le si pose di fronte.

«Immagino però che non mi abbiate chiesto di parlare per raccontarmi del profumo del lago. O sbaglio?» disse.

«È un piccolo, affascinante mistero», ribatté la Palladino.

«Come tutti i misteri», osservò l'alienista.

«Come quella ragazza», affermò la medium.
«Vorreste dire?»
La medium tacque.
«Avete appena detto di non averla mai vista...» proseguì Lombroso.
«È necessario vedere per sapere?» chiese la Palladino.
«Sono d'accordo con voi, ma...»
«L'ho sentita», affermò la medium.
Poco prima, quando era comparsa alla soglia della cucina.
«E lei, ne sono certa, ha sentito me», disse ancora la Palladino. «Ci siamo riconosciute.»
«Mi state dicendo che, secondo voi, quella giovane possiede delle doti simili alle vostre.»
«E forse non le conosce. Forse ne ha avuto solo qualche sospetto.»
«Giusto per questo...» mormorò l'alienista fermandosi subito e guardandosi intorno come se cercasse aiuto.
«Insomma...» riprese, «proprio per questo... ecco avrei bisogno di voi. Non sono venuto fin qui solo per ammirare questo splendido paesaggio.»
La Palladino sorrise.
«Non bisogna certo essere una medium per capirlo. Vi avrei chiesto io stessa quali ragioni vi hanno allontanato così tanto da Torino e dai vostri impegni.»
«È una storia complessa, ancora misteriosa e... inquietante. Non nego di esserne turbato», disse l'alienista.
«Ditemi», lo invitò la medium. «E ditemi in cosa posso aiutarvi.»
«Ci vorrà un po'», la avvisò Lombroso.
«Non è il tempo che ci manca», rispose la medium.

106.

Invece Umberto Politti l'aveva sprecato aspettando inutilmente il Falcarotti che non era né all'interno del giornale a faticare sulla scrivania né in giro a raccattare notizie formidabili ed eclatanti.

«Non c'è», gli disse con malagrazia il portiere del giornale strizzando gli occhi come se tentasse di riconoscerlo.

Aveva chiesto qualche ora di permesso.

Il che, se l'Umberto lo conosceva ancora bene, significava che aveva passato la mattina poltrendo a letto, e poi in giro per caffè e pasticcerie e in casa di qualche cadente dama dell'alta borghesia, o a fare il cascamorto con qualche signorinella, o l'asino con qualche altra signorina meno complicata, poiché delle carni il Falcarotti non disprezzava né la seconda né la terza scelta.

Di ritornare a casa sconfitto comunque non aveva alcuna intenzione, non poteva contemplare l'idea di rinunciare al suo progetto.

Non doveva fare altro che andare sotto casa del Falcarotti e aspettarne il rientro.

107.

Cesare Lombroso e la Palladino rientrarono in cucina dopo un'ora abbondante passata a confabulare.

Si scusarono immediatamente con la padrona di casa.

«Le chiacchiere», disse la Palladino, «si sa quando cominciano ma non si sa quando finiscono.»

«Siete padroni di fare ciò che vi fa più comodo in casa mia», rispose con gentilezza Giuditta.

«Anche una piccola seduta?» buttò lì di getto la medium.

«Una seduta?» ribatté la Carvasana.

«Vedete», intervenne subito Lombroso intuendo che alla padrona di casa la cosa non garbasse più di tanto, «se ho osato disturbarvi, invadendo la vostra bella casa, è stato per una ragione ben precisa.»

Aveva per le mani un caso... un caso oscuro, misterioso, un caso che...

«Che gli strumenti attuali della scienza, quelli noti e approvati, non possono riuscire a chiarire.»

Era necessario aiutare la scienza!

«Ma gli scienziati, mia cara signora», pronunciò l'alienista, «o coloro che tali si definiscono...»

Ostili, i più, a ogni innovazione.

Contrari al progresso.

«Ciechi», affermò Lombroso.

Persone come Eusapia Palladino potevano aiutare, con le doti che la natura aveva dato loro, ad accendere una piccola luce nel buio che nascondeva i segreti dell'uomo, della sua creazione, di com'è fatto, del perché è fatto e agisce in determinate maniere.

«Io non mi nego a ogni tipo di apporto per il progresso della scienza quando questo si dimostra utile allo scopo», affermò l'alienista.

Per questa ragione aveva sempre difeso la medium, per la stessa ragione ne chiedeva l'aiuto adesso, senza sperare che potesse lei sola risolvere il suo problema ma fidando di ottenerne una spinta verso la verità.

La Carvasana non sembrava convinta.

«L'idea è stata mia», interloquì la Palladino.

E non le sarebbe mai venuta, aggiunse, se non avesse visto la sua cameriera poco prima.

«La Birce?» si stupì la Carvasana.

E cosa c'entrava?

«Sa cose che ancora non conosce», rispose la medium.

A Giuditta tornò l'immagine della sera prima, i vasi, il loro contenuto, l'inquietudine che non l'aveva lasciata riposare durante la notte.

«Su questa casa?» chiese di botto.

«Dovrebbe?» ribatté la medium.

«Cosa volete che ne sappia», rispose la Carvasana senza riuscire a nascondere un po' di nervosismo.

Lombroso si inserì da buon paciere.

«Non vi sentite obbligata a evadere la nostra richiesta», disse, «non era nostra intenzione approfittare della vostra ospitalità.»

Giuditta Carvasana ritrovò l'aplomb della perfetta padrona di casa.

«Scusatemi se vi sono parsa scortese ma... ecco, mi risulta difficile stare al passo con i vostri discorsi. Tutto qua. E poi...» disse.

E poi, per quanto ignorasse le regole di sedute spiritiche e affini, non erano un po' pochi loro tre per metterne in campo una?

«Certo», confermò la Palladino.

Ma con la Birce diventavano quattro.

«E invitando qualcuno di affidabile raggiungeremmo il numero perfetto», aggiunse.

Tutto stava a conoscere qualcuno che desse garanzie di affidabilità.

«Di questo paese non conosco che il procaccia», disse la Carvasana.

Il quale, a giudicare dal naso che si portava in giro, aveva giurato fedeltà a sostanze liquide e spiritose ben più prosaiche.

«Potrei suggerire un nome io», disse la medium.

Quel giovanotto che aveva firmato l'intervista sulla «Provincia». Che aveva dimostrato di capire o perlomeno di aver la buona volontà di non dare per scontate certe cose.

«Mi sono appuntata il nome e penso proprio che se lo invitassimo non direbbe no.»

108.

Quando il Falcarotti s'era trovato faccia a faccia con l'Umberto non aveva dato alcun segno di meraviglia.

«Senti», gli aveva detto.

«Cosa?» aveva chiesto il Politti.

Per tutta risposta l'Ederardo gli aveva messo una mano sotto il naso.

L'Umberto aveva annusato.

«Cosa dovrei sentire?» aveva poi chiesto.

Il Falcarotti aveva scrollato la testa e sorriso.

«Capirai», aveva risposto.

E solo dopo gli aveva chiesto, ma così, en passant, cosa ci facesse lì, sotto casa sua.

L'Umberto s'era preparato un lungo cappello introduttivo per oliare la sua richiesta di aiuto: aveva intenzione di spiegare la sua delicata situazione familiare, la testardaggine del genitore, la muffa che gli sarebbe cresciuta sul cervello se avesse continuato a stare ancora un po' al Santa Geraldina, la necessità di darsi un futuro al passo coi tempi e altri argomenti che invece aveva cassato in blocco.

Era andato dritto alla meta, chiedendo al Falcarotti di metterlo in contatto con la Palladino, cosa della quale gli sarebbe stato grato fino alla fine dei suoi giorni.

Quello, la mano di misterioso profumo olezzante sempre sotto il naso, l'aveva ascoltato coi piedi sulla terra e la testa sulla luna.

Sì, sì, d'accordo, stai tranquillo, vedrai...

Come se stesse parlando con un bambino noioso e un po' viziato.

Umberto Politti si era diretto quindi verso il Santa Geraldina, sfiduciato e con un vago senso di nausea, stante lo stomaco vuoto dal mattino.

Il suo amico Falcarotti... un coglione, vanitoso e inaffidabile.

Invece...

109.

Quando se lo vide comparire davanti mentre era a metà del corridoio puzzolente di trementina al primo piano del Santa Geraldina, quello riservato ai degenti più tranquilli, Umberto Politti pensò immediatamente a una disgrazia dei suoi.

Un treno deragliato, una barca rovesciata, una fatale intossicazione col pesce di mare, qualunque cosa avesse potuto toccare i suoi genitori e che avesse qualche interesse per il giornale, visto che suo padre era comunque personaggio noto nella Como che contava.

La faccia del Falcarotti però non era quella di un ambasciatore di sventure anche se era abbastanza testa di rapa da non valutare a sufficienza il portato di certe male notizie.

Alla sua domanda: «È successo qualcosa?» il giornalista rispose: «Sorpresa!» e rise di gusto.

Va be', pensò il Politti.

D'accordo, il suo amico era vanesio, farfallone, ma non poteva essere tanto scemo da comportarsi così se sulla punta della lingua aveva una notizia ferale!

«Sarebbe?» chiese l'Umberto con nella voce appena un fondo di inquietudine.

Per tutta risposta il Falcarotti estrasse dalla tasca un telegramma: il telegramma in cui lo si invitava a salire in quel di Bellano per quella sera onde partecipare a un non meglio specificato incontro con la Palladino e Cesare Lombroso.

Lo fece leggere all'Umberto che di rimando prima arrossì e poi sbiancò.

«Niente male eh?» chiese il Falcarotti.

Niente male.

Ma avevano invitato lui, obiettò il Politti.

«Sei venuto qui per farmi crepare di invidia forse?» chiese l'Umberto.

«Idiota!» rispose il giornalista.

Come faceva a non capire.

«Vieni con me no? Ti aggreghi.»

«Seee...» rispose il Politti che peraltro già sperava nella stessa cosa.

«Cosa c'è?» chiese il Falcarotti.

C'era che non era corretto, che non si faceva così, che non era educato...

«Allora sei coglione», concluse l'Ederardo.

Nella vita certe occasioni non si ripresentavano, andavano colte al volo.

«Allora?» chiese. «Anche se non sei invitato non ti butteranno per questo nel lago», aggiunse.

«Dici?» fece l'Umberto che in cuor suo aveva già deciso.

«Va là», rispose il giornalista. «E ricordati di oggi, del giorno in cui la fortuna ti ha baciato.»

110.

Davvero una fortuna.

Un'insperata fortuna, quasi un colpo di scena.

L'inatteso arrivo del Cressogno venne salutato così da quasi tutti. In specie dalla Carvasana, che si dovette trattenere dal saltargli al collo e dalla Palladino per ragioni più pratiche, tecniche.

Infatti, con il Falcarotti e l'amico che pur senza inviti quello s'era portato appresso, la seduta raggiungeva un numero di partecipanti quasi perfetto.

Perfetto, anzi, affermò la Palladino.

Sette.

Al di sotto sarebbe stato difficile recuperare l'energia sufficiente per caricarsi, al di sopra sarebbe stato più facile disperderla.

I due giovanotti erano giunti a Bellano verso le quattro del pomeriggio.

Il Falcarotti aveva abbandonato il giornale avvisando che era sulle tracce di un colpo sensazionale attorno al quale manteneva il silenzio per paura della concorrenza. Il Politti aveva abbandonato il Santa Geraldina e basta, senza dire niente a nessuno, senza nemmeno farsi vedere: ormai era proiettato verso il futuro e nulla avrebbe potuto fermarlo.

«Sette», disse la Carvasana quando si ritrovò con gli ospiti nella cucina di villa Alba, «a patto che la Birce accetti di prendervi parte.»

La giovane infatti non era presente e soprattutto non

era ancora informata dell'evento. La padrona di casa si era rifiutata di metterla al corrente.

«Non saprei cosa dirle», s'era giustificata.

«Ci penso io», disse la Palladino.

Sempre che fosse riuscita a trovarla.

Dalla mattina, da quando s'era presentata insonnolita e disorientata sulla soglia della cucina, la Birce non s'era più fatta vedere né la Carvasana l'aveva cercata: mentalmente ormai l'aveva dimessa quale cameriera.

«Se è per quello», rispose la Carvasana, «penso che riuscirete a incontrarla da qualche parte nel giardino.»

«Bene», disse la Palladino.

«Ma, se posso», interloquì ancora la padrona di casa, «e scusate se dirò delle cose inesatte, ma non sono esperta di questo genere di... di consulenze, c'è già un piano, un... un programma, se si dice così, insomma qualcuno da interrogare?»

«Penso di sì», rispose la Palladino, «ma, dico sul serio, non lo so ancora.»

«E chi lo può sapere allora?» chiese ridendo la Carvasana.

La Palladino rispose con uno sguardo lasciando quindi la domanda senza risposta.

Avesse parlato avrebbe detto la Birce e Cesare Lombroso, il quale, pure lui, sin dal primo pomeriggio era sparito.

111.

Era in camera.

In quella della Palladino, gentilmente offertagli dalla stessa per permettergli di riflettere, studiare le sue carte.

Dormicchiare anche.

Fino alle quattro del pomeriggio, quando l'arrivo dei due giovanotti aveva creato un po' di trambusto traendolo dal riposo, l'alienista si era concesso al sonno visto che, tra il trabiccolo elettrico e il pur comodo divano della sala da musica, si sentiva lo scheletro incarpognato. Dopodiché, visto l'orario, aveva ripreso in considerazione il motivo per il quale aveva affrontato i disagi di un viaggio fino a Bellano.

Di tutto ciò che aveva in mente di dire e chiedere alla Palladino aveva ancora rivelato ben poco, quasi niente: il motivo che l'aveva spinto sulle rive del Lario lo conosceva solo lui.

Certo non era semplice ciò che aveva in mente, tutt'altro.

Fin la formulazione della richiesta era difficile da impostare in maniera chiara.

Alla medium poteva mostrare un pezzo di carta con su scritto quello che sembrava un frammento di equazione, probabilmente senza alcun significato.

E poi?

Mica poteva chiederle di far parlare la carta, quei segni grafici...

Le doveva spiegare che da lei aspettava magari un consiglio operativo per aiutarlo a chiarire una situazione che nel pratico aveva già prodotto due cadaveri e dentro la quale si sentiva invischiato, chiamato in causa.

Ma il busillis stava lì.

Perché, come, chi, se c'era un chi, stava incrociando la sua strada.

Più ci pensava più gli sembravano aleatori gli scarni indizi che aveva a sostegno dei suoi sospetti: tre pezzetti di carta, uno dei quali buttato via avventatamente, quattro segni che qualunque alienato avrebbe potuto tracciare e quei colpi alla testa...

Meglio, rifletté Lombroso, non stare troppo a fare conti per non scoprire di essere decisamente in perdita e affidarsi alla fortuna, all'intuito. Se la Palladino non fosse stata in grado di aiutarlo avrebbe battuto altre strade oppure avrebbe lasciato perdere.

«Si vedrà», mormorò levandosi dal letto e avviandosi alla volta del piccolo bagno che completava la camera per ricomporsi onde presentarsi ai nuovi e vecchi ospiti dignitosamente.

La faccia, la barba, la capigliatura che andava diradando.

Una raddrizzata al papillon.

«Voilà!» disse, quindi scese di sotto.

Il Politti, che non stava più nella pelle all'idea di incontrarlo in carne e ossa, ne avvertì i passi.

Tuttavia, poco prima dell'alienista, era comparsa la Birce sottobraccio alla Palladino.

E quando Lombroso entrò nella cucina salutando, a fatica l'Umberto riuscì a staccare gli occhi dalla giovane per guardare il suo sogno diventare realtà.

112.

«Ammiratore e seguace», si presentò il Politti.

«Giornalista scientifico», si qualificò il Falcarotti.

«Direttore del teatro di Como», si definì il Cressogno sorvolando sul suo legame con la Carvasana.

Così, fatte le presentazioni, Giuditta Carvasana poté annunciare la decisione di dare vita a una seduta spiritica lì, nella sua villa.

Precisamente nella sala da tè, l'unica dotata di un tavolo rotondo in grado di ospitarli tutti e sette, verso la quale fece subito strada visto che era inutile perdere altro tempo.

«Si possono prendere appunti?» chiese il Falcarotti.

«No», rispose la Palladino che poi distribuì i posti nella catena.

La Birce di fianco a sé poi Cesare Lombroso e il Cressogno a formare una sorta di linea continua e forte a fronte di neofiti dell'esperimento: la Carvasana, il Falcarotti e il Politti.

Nonostante le sei del pomeriggio fossero passate da poco, i pesanti tendaggi della sala, accostati dalla padrona di casa, avevano creato la fittizia penombra che la medium aveva dichiarato necessaria per non disturbare le forze medianiche.

Seduti e mignolo contro mignolo, i convenuti tacquero.

Il Falcarotti si aspettava che qualcuno desse il via alla seduta.

«Quando si comincia?» chiese dopo aver sopportato il silenzio per qualche minuto.

«Sssh!» lo riprese la Carvasana.

Non capiva che era già cominciata?

Non notava lo sguardo della Palladino che già si era staccato dalla sala, dal presente, da loro stessi e vagava in chissà quale mondo ignoto e misterioso?

«Scusate», disse il Falcarotti.

«Silenzio!» fece ancora la Carvasana.

Umberto Politti durante quel breve scambio di battute aveva spiato il viso del suo idolo: tra lo scocciato e l'insofferente.

Pensando che fosse a causa dell'irritante comportamento del suo amico, cercò di allungargli un calcio sotto il tavolo.

«Un colpo!» sbottò questi.

«Ancora!» interloquì di nuovo la Carvasana.

«Ho sentito un colpo sotto il tavolo», si giustificò il Falcarotti.

«Sono stato io», ammise il Politti.

La Palladino staccò i mignoli da entrambi i lati.

«Signori», disse.

Senza un assoluto silenzio la concentrazione andava a farsi benedire, l'energia si disperdeva.

«È anche», disse ancora la medium, «una questione di rispetto per il mondo che entra in contatto con noi.»

Quindi pregò di nuovo i presenti di riprendere la posizione e infine, dopo qualche lungo minuto di assoluto silenzio, una voce, più un verso che una voce vera e propria in verità, sembrò provenire da un punto indefinito. Gli occhi di tutti, tranne quelli della Birce e della Palladino, conversero sul Falcarotti che, a dimostrazione del suo stare agli ordini, aveva le labbra strettamente sigillate.

Al Politti, un po' distratto dalla Birce della quale sbirciava il profilo, era sembrata, più che una voce, un borborigmo proveniente sì dagli inferi, ma da quelli degli intestini dell'alienista. Era in effetti un po' agitato Lombroso, nervoso, oltre che a stomaco vuoto: non aveva avuto modo di trasmettere alla Palladino la sua richiesta, non capiva cosa diavolo si volesse da quella seduta, dove si volesse andare a parare.

La voce si ripeté, fu chiaro a tutti che fosse tale, anche al Politti. E usciva dalla bocca della medium, o perlomeno veniva dalla posizione che occupava attorno al tavolo.

Voce maschile.

Voci.

Due, appena diverse ma comunque distinte.

E una...

Fu Umberto Politti il primo ad accorgersi che una delle due voci usciva dalla bocca della Birce.

113.

Alla Serpe parve di sentire una voce maschile che chiamava il suo nome.

Però non si mosse.

Se era stato l'Arcadio perché voleva che le portasse un bicchiere d'acqua o di vino, poteva sognarselo.

Se lui era sfatto, lei lo era altrettanto. Anzi, in quanto femmina, aveva il diritto ad esserlo un po' di più.

D'altronde, in due, e in due soli giorni, avevano fatto il lavoro che generalmente avrebbe occupato quattro paia di braccia e tre giorni pieni.

I prati della Masmina adesso erano bell'e sfalciati, il fieno era tutto raccolto in mucchi pronto per seccare ancora per un po' al sole d'agosto e poi finire nella stalla.

Tra loro non c'era stato nemmeno bisogno di dirsi che dovevano dare una prova di buona volontà al rettore, dimostrare che la disgrazia delle uova e delle galline era stato solo un incidente, niente di più.

Quel lavoro sarebbe stato un bel banco di prova, e ce l'avevano fatta, vincendo a suon di bestemmie, l'Arcadio, e invocazioni, la Serpe, quei prati cornuti, pieni di gobbe e di buchi, con sassi traditori nascosti tra l'erba, a tratti umidi e a tratti invece polverosi. Prati che tra l'altro erano sotto gli occhi di tutti, così che tutti potevano giudicare l'accortezza e l'abilità di chi li doveva mantenere. Prati che anche i predecessori dei due avevano sempre lasciato per ultimi nella segreta speranza che la Madonna avesse pietà e li facesse sparire nel giro di una notte, mandandoli a sprofondare nel fondo dell'inferno.

Loro due, pensò la Serpe, ce l'avevano fatta, e se adesso sentiva una voce non poteva essere che quella dell'Arcadio, oppure un effetto della stanchezza per la fatica sostenuta.

Invece, quando aprì gli occhi dopo aver sentito per l'ennesima volta la voce che la chiamava si trovò davanti al signor rettore in persona, che si giustificò dicendo di essere entrato poiché aveva trovato la porta aperta e solo dopo aver chiamato più volte. La Serpe ebbe la consapevolezza di vivere ancora in una valle di lacrime con il timore che toccasse a lei e all'Arcadio incrementarle.

Fece per saltare in piedi levandosi dalla precaria sedia sulla quale si era quasi addormentata ma le gambe le cedettero e ripiombò a sedere.

«Scusate», disse, «ma non ce la faccio più», pentendosi subito delle parole che le erano uscite di bocca: niente altro che un'ulteriore ammissione della loro insufficienza.

«Benedetta donna, cosa avete?» chiese il rettore.

La Serpe si spiegò.

«Fatica inutile nevvero?» domandò poi.

«Nessuna fatica è tale», rispose il rettore.

La Serpe abbozzò.

Benedetto rettore, che maniera era quella di rispondere quando sarebbe bastato un sì oppure un no?

«Anche se avreste potuto prendervela con più comodo. Non credo sia il tempo che vi manchi e nessuno vi corre dietro», aggiunse il rettore.

Già meglio, pensò la Serpe.

«Quindi...» disse.

«Quindi niente», fece il rettore, «riposatevi e scusatemi se vi ho interrotto. Era solo per avvisarvi che domani mi porteranno altre galline in sostituzione di quelle andate perdute.»

Adesso la Serpe capì con chiarezza che lei e il marito erano salvi.

Fece per aprire la bocca, dire qualcosa ma non le uscì niente, tranne un profondo ringhio che però veniva dalla gola addormentata dell'Arcadio steso sul letto.

114.

Ciò che nel frattempo era successo nella sala da tè di villa Alba solo la Palladino avrebbe potuto capirlo e nel caso spiegarlo.

Per gli altri fu un mistero l'incrociarsi di quelle due voci maschili che si accusavano a vicenda di qualcosa che però sfuggiva alla comprensione. La medium aveva invece in tasca la chiave di quel mistero e non tanto per dire, ma proprio nella tasca dell'abito che indossava dove aveva infilato, dimenticandosene, le foto dei due gemelli che le aveva dato il comasco Fugetti, ansioso di svelare l'arcano del presunto doppio suicidio. Che, senza ricorrere alle arti di una medium, una terza voce avrebbe potuto chiarire. Voce femminile e viva, vivissima: nella fattispecie quella della donna per la quale i due sembravano essersi scannati a vicenda dopo che lei stessa li aveva rifiutati entrambi una volta verificatane l'impotenza. Di fronte all'irridente ragazza che aveva minacciato di rendere pubblico il difetto dei due, facendo intendere di ritenerli più propensi a unioni contro natura, i due avevano deciso di togliersi dal mondo piuttosto che patirne i dileggi. Di suicidio doppio si era quindi trattato. E quella parola che usciva continuamente dalla bocca della Palladino, quel «buco» che non significava granché per i presenti, era stato un preciso quanto prosaico riferimento anatomico, un indizio che a un certo punto rivelò la sua importanza alla Palladino tanto che arrossì con violenza e si tappò volontariamente la bocca, decidendo all'istante che al Fugetti non avrebbe relazionato alcunché.

Al Cressogno scappò un mezzo sorriso, ma si ricompose prima che qualcuno se ne accorgesse.

A quel punto Cesare Lombroso cominciò ad avvertire di non essere andato inutilmente sulle rive del lago di Como.

Si riscosse, per chiedere alla Palladino cosa intendesse con quella frase. La medium rispose, mentendo, che non capiva, mentre invece aveva sin troppo chiaro a quale tipo di buco si riferisse la voce che stava parlando dentro lei e che avrebbe voluto raggiungere anche gli altri partecipanti alla seduta.

Ma nella mente dell'alienista la cosa stava cominciando ad assumere ben altro aspetto, ben altro buco aveva preso possesso dei suoi pensieri.

Un buco, un foro, una ferita mortale...

Nel momento in cui stava per chiedere alla medium di porre una domanda che gli avrebbe permesso di chiarirsi le idee, la Birce ebbe un tremito, avvertito da tutti coloro che stavano intorno al tavolo. La Palladino ruppe la catena per afferrarla perché aveva avuto l'impressione che la giovane stesse scivolando a terra, ma quando le vide il viso impallidì e istintivamente la lasciò andare.

«Vedete anche voi?» chiese.

Cosa?

Tutti vedevano che la Birce era turbata ma niente altro.

Possibile che non vedessero quello che stava vedendo invece lei?

Che il volto della Birce aveva quasi assunto le fattezze di una bambina, le guance più gonfie, un sorriso spaesato, pronto ad allargarsi in una franca risata o a cadere nella paura.

Paura che assalì Lombroso.

L'alienista temette che la sua medium potesse avere

un collasso nervoso le cui conseguenze sarebbero state difficili da prevedere: la cosa peggiore, un'amnesia di tutto ciò che stava accadendo.

Rifletté se non fosse il caso di interrompere la seduta, rimandarla di qualche ora o di un giorno.

Poi, però, la voce di un pianto infantile irruppe nell'aria della sala da tè.

115.

Se l'era tenuto, schiacciato, compresso, mandato giù per l'esofago, giù giù fin nello stomaco che alla fine si era gonfiato.

Non doveva, non voleva piangere per la rabbia.

Una donna come lei non piangeva per la rabbia, la sfogava.

Spaccava, prendeva a sberle, insultava.

Ma piangere, mai!

I deboli piangevano, gli indifesi piangevano, i bambini piangevano.

Appunto, l'ultima volta che aveva pianto era una bambina che aveva rotto un fiasco di olio e si era presentata in lacrime dalla madre. La quale, a titolo di consolazione, le aveva dato dapprima una passata di sberle per il danno che aveva procurato all'economia familiare e subito dopo aveva rincarato la dose per insegnarle che piangere non serve a niente.

Da allora, mai più una lacrima aveva rigato il suo volto, nemmeno quando tutte le altre Venerande si scioglievano in pianto durante la Via Crucis del venerdì santo commuovendosi per le angherie cui era stato sottoposto Nostro Signore.

Quindi, anche quella volta, benché la sconfitta fosse bruciante, la peggiore subita in vita, la Perseghèta ricacciò la voglia di piangere per il dispetto provato dopo la ribellione delle sue ex alleate e la conseguente decisione del rettore.

Difficile, però.

Difficile esercizio di controllo di un'emozione che doveva comunque trovare sfogo. Come fosse divenuta una suora di clausura, uscita dal rettorato era entrata in una dimensione di silenzio ostinato facile peraltro da osservare poiché il clan delle Venerande traditrici si era allontanato a passo di coniglio, lasciandola sola con la sua rabbia.

Meno facile tener fede al silenzio, concentrata sulla necessità di frenare le lacrime di stizza, una volta che era tornata a casa, e aveva dovuto confrontarsi con la petulanza del marito. La conosceva per ciarliera l'uomo, a volte sin troppo svelta di lingua.

Cos'era adesso tutto questo silenzio?

Eh, cos'era?

Non meritava una risposta, una spiegazione?

Era disposto a sopportare lune e paturnie, ma fino a un certo punto!

A tutto c'era un limite!

Già sopportava il dolore per l'ultimo insulto che quel lavoro infame gli aveva regalato e credeva di poter contare su un po' di comprensione almeno da parte di sua moglie, e invece...

Invece non parlava, non faceva segni!

Perché?

Come mai?

Cos'era tutto quel silenzio?

Cosa doveva fare per avere da parte di sua moglie una parola buona, tagliarsi la testa?

Fu a quell'uscita del marito che la Perseghèta trovò il modo di dare sfogo alla rabbia che la farciva senza dover ricorrere alle lacrime.

«Una mano!» disse.

Una mano tutta intera.

Forse con una mano amputata di netto, il rettore avrebbe preso tutt'altra decisione.

116.

Dopo aver emesso quel grido infantile, la Birce s'era portata una mano alla guancia, quasi volesse coprire la macchia che si era arrossata con prepotenza.

Cesare Lombroso era rimasto sconvolto al pari degli altri e aveva deciso di non interrompere la seduta. Il sole era ormai sceso dietro il Bregagno. Nella sala da tè era calato qualcosa di molto simile all'oscurità. Ciascuno dei presenti aveva perso il senso del tempo: sembrava notte fatta. Ma non era solo il buio fittizio mentre fuori c'era ancora un'ultima, splendida luce.

Nessuno aveva avuto il coraggio di dirlo ma nella sala s'era diffuso un odore strano e indefinibile. Sembrava un odore in grado di parlare. Non certo con voce umana. Ma era stato come fosse capace di evocare immagini e sensazioni di un tempo passato e futuro insieme. La Birce era stata forse la prima a coglierle, a visualizzarle. Aveva reagito con quel verso, quel vagito infantile, e allora era stato come se sulle onde del grido anche gli altri potessero vedere ciò che lei percepiva. Era stata una visione di polvere o di cenere che una brezza invisibile sollevava dentro un luogo buio e ostile. E mentre quella polvere o cenere che fosse creava immagini sfuggenti, che svanivano nel momento in cui sembrava di poter dare loro un nome, l'odore era aumentato, assumendo una connotazione spaventosa di morte.

La Birce aveva aumentato i suoi gemiti, la Palladino aveva cominciato a singhiozzare, l'angoscia s'era stretta attorno agli altri che pur non capendo cosa stesse accadendo avvertivano un dolore disperato nelle grida della Birce, nei singhiozzi della medium, nell'aria stessa della stanza da tè. Ciascuno aveva avuto l'impressione di essere costretto a percepire qualcosa di invisibile e tremendo, come se fossero chiusi in una bara, morti e vivi allo stesso tempo. Quell'odore stantio e profondo era l'odore della morte, della morte di ognuno di loro.

Era una sensazione insopportabile.

Il primo a cedere davanti all'invisibile tortura era stato il Falcarotti, non più vanesio e giocondo come quando si era seduto attorno al tavolo.

«Cosa c'è?» aveva gridato.

Per tutta risposta la Birce aveva iniziato una sorta di nenia, dapprima incomprensibile ma poi, via via, sempre più chiara.

«Ma qual mai scorre entro le vene un gelo?»

117.

L'escursione sul Legnone aveva lasciato più di una traccia su Erinio Trapani: voluminose vesciche ai piedi e soprattutto una scottatura di viso, spalle e braccia che la zia Ginetta aveva voluto a tutti i costi curare applicando sulla cute il bianco dell'uovo sbattuto, garanzia di una guarigione rapida e totale, anche perché il giovanotto ormai, terminato il suo compito, doveva ripartire per Torino.

Nonostante il fastidio di entrambi gli accidenti (dopo che lo zio Nemore gli aveva drenato le vesciche forandole con un ago il giovanotto era costretto a camminare sulle punte come fosse una ballerina mentre le scottature reagivano a qualunque sfioramento, fosse anche solo quello dell'aria che entrava in cucina dalle due finestre aperte per fare corrente), nonostante ciò Erinio si era dichiarato pienamente soddisfatto della giornata passata in montagna per la splendida vista di cui aveva goduto innanzitutto, il miglior panorama delle Alpi Centrali, grazie alla perfetta giornata estiva: aveva spaziato in lungo e in largo, uno sguardo senza confini sul lago e sulla piana valtellinese. E per un'altra ragione anche, più professionale, legata ai suoi studi: nonostante i due zii non capissero un accidente della materia, aveva spiegato loro il perché e il percome, ottenendo continui segni di assenso sulla fiducia.

Poi la zia Ginetta aveva attaccato le geremiadi dell'addio.

«Adesso che hai finito non ci verrai più a trovare.»
Voleva solo essere sconfessata, l'Erinio lo sapeva.
«Tutt'altro. Verrò ancora più spesso invece, soprattutto una volta che avrò finito gli studi», aveva risposto.
Lo zio Nemore era stato lì per dire qualcosa ma un grido che proveniva dalla casa vicina l'aveva interrotto.
La zia Ginetta aveva scosso il capo.
«Povero Girgia», aveva detto.
Dovevano fare un male del diavolo le medicazioni cui si sottoponeva.
«Meno male che c'è suor Celestina», aveva affermato zio Nemore.
«Già», s'era associato l'Erinio, «meno male.»
Poi aveva chiesto licenza di andare a letto.
Una volta uscito dalla cucina il nipote, i due erano rimasti a tessere lodi sulle sue qualità, chiedendosi cos'altro sarebbe potuto diventare, un grande medico forse? oppure un avvocato di grido, un principe del foro?, se non si fosse fatto traviare da quella incomprensibile passione per i sassi.

118.

«...muscosi sassi...» aveva proseguito la Birce in quello che sembrava un vero delirio.

Poi però, dopo altre parole che sembravano pescate a caso oppure frutto di un momento di singolare follia, la giovane cambiò atteggiamento.

Si era ingobbita fino a quel momento, come se si stesse rattrappendo. Come se la forza che aveva preso possesso delle sue facoltà ne volesse ridurre le dimensioni tirandola a sé. A quel punto invece la Birce si raddrizzò con una mossa improvvisa che spostò all'indietro la sedia sulla quale stava. Gli occhi sgranati e fissi in un punto sulla parete di fondo della stanza, cominciò a recitare con precisione, con voce fonda e grave i versi di quella che a tutti gli effetti era sembrata una poesia.

«...di fera gente, i sacerdoti infami...»

L'odore che sino a poco prima aveva dominato nell'aria era lentamente svanito, sostituito da un altro che subito ai presenti era sembrato qualcosa di più, qualcosa di diverso.

«...a falsa deità già un tempo offerti...»

Cesare Lombroso era stato il primo a definire quanto era accaduto in quella fase, aveva compreso che in quell'odore che si era diffuso nella stanza c'era qualcosa che gli dava un sapore e, pur se incredulo, aveva intuito che ciò che sentiva sulla lingua era il sapore del ferro.

«...e gli orridi olocausti...»

Ma un ferro, un sapore...

L'alienista si era passato un paio di dita in bocca, strisciandole sulle gengive per controllare se... Ma il buio che nel frattempo era calato nella stanza gli aveva impedito di verificare, poi...

«...perpetua notte e nero oblio ricopra...» aveva ancora recitato la Birce e a quel punto il Falcarotti era esploso.

«Basta!» aveva gridato.

Un grido desolato e pieno di paura.

La Birce si era zittita, il capo le era caduto sul petto, era sembrata addormentarsi all'improvviso. La Palladino le aveva cinto le spalle con un braccio.

La Carvasana, impressionata, si stava domandando se aveva fatto bene a consentire quella seduta in casa sua, e si era stretta al fianco del Cressogno. Tutti avevano poi girato lo sguardo verso il giornalista.

Umberto Politti non aveva mai visto il suo amico così sconvolto, gli era sembrato sul punto di stare male.

«Cosa c'è?» gli aveva chiesto.

Il Falcarotti aveva singhiozzato. Si era passato una mano sul volto.

«Scusate», aveva detto, «ma non riesco a sopportare di sentire ancora quella poesia.»

119.

Si chiamava Erika ed era stata la tata del Falcarotti e di sua sorella Floriana. Originaria della Svizzera, cantone dell'Appenzello, per i due, che avevano un anno esatto di differenza, era stata più che una semplice tata. Piuttosto madre e padre insieme visto che i due genitori naturali, dopo un matrimonio in cui avevano unito amore e rispettivi patrimoni, si erano dati alla pazza gioia, dilapidando il denaro in viaggi, feste e azzardi di vario genere, mentre dell'amore era rimasto un pallido ricordo, non sufficiente però a ricordare loro come mai erano giunti alla decisione di sposarsi. In ogni caso con i due pargoli venuti al mondo, non avevano avuto dubbi circa la soluzione da adottare affinché i loro programmi di vita non subissero mutamenti e avevano assunto in pianta stabile la Erika, dopo aver raccolto informazioni che la definivano severa, inflessibile, colta e forse lesbica.

I metodi educativi della tata erano rigidi come il freddo del cantone da cui proveniva. Una visione medievale delle cose ne adombrava le gioie della vita e riteneva che quanto prima un essere umano si convinceva che la stessa vita è fatta di dolore e fregature tanto prima potesse affilare le armi adatte per contrastarla.

I due infanti erano cresciuti con la costante minaccia dei nefandi paragoni che la Erika proponeva loro a scopo educativo e li aveva abituati a dormire al buio, a mangiare al freddo, a lavarsi senza spogliarsi completamente, a camminare a capo chino eccetera. La nenia che era uscita dalle labbra della Birce era stata la chiave arrugginita che aveva aperto nei ricordi del Falcarotti una porta che lui riteneva di aver sprangato definitivamente reagendo a quella folle educazione e dandosi, una volta che aveva potuto, a una vita da farfallone, forse al pari della sorella che invece era emigrata in Spagna facendo perdere ogni traccia di sé.

Recitava, la poesia che la giovane cameriera di villa Alba aveva esposto, di una leggenda secondo la quale ai tempi in cui si adoravano le divinità druidiche sia nella Svizzera sia sulle rive del lago di Como, poveri bambini venivano strappati alle loro madri per essere sacrificati: le ceneri, o ciò che ne restava, venivano conservate divenendo oggetto di culto presso quelle bestiali popolazioni. Ma anche, raccontavano alcuni, di macabro collezionismo.

La Carvasana deglutì pensando allo stanzino della villa.

In ogni caso, ogniqualvolta uno dei due combinava una marachella, e in tal senso l'elenco compilato dalla Erika era assai lungo e comprendeva di tutto, la tata radunava i due infanti in cucina e facendo buio nel locale declamava quei versi terribili e desolanti, gettando i due in una disperazione senza fondo cui si aggiungeva la cronica assenza dei genitori.

«Scusate», ripeté il Falcarotti dopo un paio di minuti nel corso dei quali nessuno aveva pronunciato una parola.

Cesare Lombroso pensò che a quel punto la seduta fosse bella e finita, che il suo viaggio sul lago era stato inutile.

Fu in quel momento che nel silenzio della sala si inserì un rumore particolare, come se qualcuno stesse grattando qualcosa, come se qualche indecifrabile animale stesse sgranocchiando il legno di una delle persiane.

Il primo ad accorgersi che la Birce stava scrivendo qualcosa sul legno del tavolo fu Umberto Politti. Più che scrivere la giovane stava grattando con l'unghia del pollice il legno del tavolo imprimendo alla mano una forza tale da inciderne la superficie. La cosa sorprendente era che pareva non accorgersi di ciò che stava facendo. La testa era sempre china, appoggiata al petto, l'arto superiore dava l'impressione di agire per conto proprio.

Cesare Lombroso dopo aver osservato per un po' la Birce scosse la testa e rifece lo stesso gesto quando si avvide che la Palladino, che continuava a tenere il braccio sulle spalle della sua vicina, lo stava osservando.

Viaggio inutile, tempo gettato al vento, stava pensando l'alienista.

In altri momenti avrebbe apprezzato l'esperimento di scrittura medianica cui stava assistendo. Ma adesso gli procurava solo fastidio, allontanandolo dai motivi che l'avevano portato lì e...

«Ma cosa fa?» chiese all'improvviso il Falcarotti rinfrancato dal cambio di scena.

La medium glielo spiegò, sottovoce.

«Scrittura spiritica», disse.

La Birce stava ricevendo un messaggio da qualcuno che viveva nell'aldilà. Qualcuno forse legato da parentela con uno dei presenti oppure un personaggio famoso, ma poteva anche essere un totale sconosciuto che avesse qualcosa da dire, da lasciare a coloro che lo avevano contattato.

«Perché non parla? Sta male forse?» chiese il Politti.

L'Umberto non aveva osato parlare fino ad allora ma adesso l'aveva fatto, preoccupato per la Birce. Per tutta risposta la giovane smise di grattare la superficie del tavolo, il braccio le cadde di lato. Lei stessa sembrò seguire quel movimento, piegandosi e facendo scattare dalla sedia il Politti che temette di vederla cadere a terra.

Fece la mossa di prenderla quindi. In piedi e pronto ad afferrarla non si aspettava certo che la Birce reagisse alla sua mossa scattando in piedi a sua volta e piantandogli in viso due occhi terrorizzati e una bocca spalancata da cui uscì un grido distorto, come se la giovane parlasse attraverso un tubo oppure, come pensò la Palladino, ci fosse qualcuno dentro di lei. Poi, prendendo alla sprovvista il giovanotto, gli diede una spinta a mani aperte che lo sbatté contro la sedia facendolo rovinare a terra.

«Basta!» sbottò la Carvasana che non ne poteva più.

«Sì, sì, basta», si associò Lombroso.

Pure il Falcarotti non vedeva l'ora di piantarla lì. Si avvicinò alla finestra per scostare le tende.

Ma era buio ormai.

«Accendiamo le luci», disse.

La Birce era tornata a sedere, smorta, sudata, sembrava immersa in una specie di sonno.

«Ma sta male?» tornò a chiedere il Politti che mostrava un discreto gnocco in fronte.

La padrona di casa era corsa ad aprire le finestre per cambiare l'aria del locale che le sembrava malsana. Il Falcarotti cercava di riprendere la sua aria da uomo di mondo.

Eusapia Palladino invece stava guardando Cesare Lombroso. L'alienista aveva lo sguardo fisso su ciò che la Birce aveva scritto sul tavolo della seduta.

«Cos'è?» chiese poi.

«Era ciò che volevo chiedere a voi», rispose Lombroso.

120.

«Sembra tutto già così lontano», affermò Giuditta Carvasana.

Era appena scesa dal piano delle camere dove aveva accompagnato la Birce perché si riposasse un po', come aveva consigliato la Palladino.

«Dopo le prime volte», aveva spiegato la medium, «tanto sfinimento è normale.»

«Sarà normale per voi», aveva ribattuto la padrona di casa che aveva temuto il peggio per la giovane con conseguenze che aveva preferito evitare di immaginare.

Era l'ora di cena, anche se sembrava fosse trascorso un tempo molto più lungo da quando si erano seduti nella sala da tè.

«In effetti è tutto lontano», rispose la Palladino.

Lo sguardo dei presenti riuniti nella cucina di villa Alba si diresse verso la medium, chiedendo spiegazioni senza parlare.

«Lontano», ribadì la Palladino, «come il mondo che siamo andati a trovare.»

Era quel mondo che si era allontanato subito dopo la fine della seduta. Che era ritornato nella dimensione incognita che nessuno riusciva a capire e men che meno a spiegare. Un mondo per molti fittizio, inventato per gli scopi più vari, dove molte delle domande che si ponevano nel corso della vita trovavano la giusta risposta.

«Bisogna saperla accettare», disse la Palladino, «oppure evitare di invitarli a entrare in contatto con noi.»

«Invitare chi?» chiese il Falcarotti. Si era ripreso quasi del tutto, non aveva alcuna voglia di ripiombare nell'atmosfera che poco prima l'aveva condotto alla tristezza e alla paura.

«Loro», rispose semplicemente la medium, «ciò che siamo, ciò che diventeremo.»

I solitari individui che avevano ancora una voce per le orecchie di chi voleva ascoltare.

«E loro chi erano?» sbottò a chiedere il Politti.

Chi aveva parlato per bocca della Birce?

«Non lo so.»

E cosa significavano quei segni che aveva tracciato sul tavolo?

«Non lo so», ripeté la Palladino.

«E...» disse ancora il Politti.

«Basta così per adesso», intervenne la Carvasana che non vedeva l'ora di riportare un'atmosfera di serenità. «Sarà meglio pensare a preparare una cena degna di questo nome.»

Umberto Politti stava ancora guardando la medium che a sua volta lo guardò scuotendo la testa.

Al giovanotto sembrò che gli avesse letto nel pensiero, rispondendo così alla domanda che l'intervento della padrona di casa gli aveva proibito di fare.

121.

«Non lo so.»
Non poteva nemmeno immaginare cosa fosse.
Stava alle parole che lui stesso le aveva detto: che poteva essere un'equazione, anche se nessuno aveva capito cosa significasse e se un significato potesse averlo.
Cesare Lombroso non aveva seguito gli altri in cucina. Era rimasto nella sala da tè, osservando i segni che la Birce aveva grattato sulla superficie del tavolo, ripassandoli con le dita, senza venire a capo di nulla.
Eusapia Palladino andò da lui, con la scusa della cena, chiedendo se gradisse qualcosa di particolare, ottenendo in risposta una domanda.
Poteva dargli qualche indizio, qualcosa che l'aiutasse a capire il significato di quei segni, di quello che a tutti gli effetti poteva definire un messaggio?
«Mi dispiace, non posso», rispose la medium.
«La giovane allora, la ragazza...» insisté l'alienista.
«Non credo», rispose la medium, «non era lei a tracciare quei segni.»
«Allora chi!» sbottò l'alienista.
«Perché vi interessa tanto?» chiese la Palladino.
Era ora di svelare ciò che sapeva, rifletté Lombroso. Forse così, sapendone di più, la medium avrebbe potuto dargli un aiuto, ricordare qualcosa di importante che le era sfuggito...
«Ci sono già state due donne... due morti...» smozzicò l'alienista.

Due cadaveri addosso ai quali, in una tasca del vestito che indossavano, era stato trovato un pezzo di carta con un abbozzo di quell'equazione o qualunque cosa fosse.

«E io stesso», disse Lombroso, «io stesso, molto prima che le due venissero uccise, ricevetti una lettera anonima che conteneva una specie di equazione.»

Quasi inutile dire che non ne aveva compreso il significato, che nessuno glielo aveva saputo spiegare.

«Che non la ritenni degna di attenzione e non ci pensai più.»

Solo quando l'Ottolenghi gli aveva parlato di un secondo cadavere di una ragazza uccisa con modalità molto simili alla prima e sul quale era stato trovato quel pezzettino di carta, quella specie di equazione aveva cominciato a ossessionarlo.

«C'è qualcosa dietro quei segni.»

C'era qualcuno.

Chi?

Un assassino?

L'assassino?

«Perché io?» chiese Lombroso.

Doveva sentirsi in pericolo?

«Non ve lo so dire», rispose la medium.

All'alienista scappò un sorriso sarcastico.

«Gli spiriti mi stanno forse dando la caccia?»

«Gli spiriti non uccidono», fu la risposta della Palladino.

122.

Con quel poco che c'era in casa, nessuno, se non la Birce, sarebbe stato in grado di mettere assieme la cosa più simile a una cena.

La giovane era comparsa in cucina per la sorpresa di tutti i presenti tranne Lombroso che era entrato poco dopo lei, corrucciato e meditando di ripartire alla volta di Torino il prima possibile e magari evitando spostamenti avventurosi a bordo di trabiccoli elettrici e no.

«Stai bene?» saltò su a chiedere il Politti vedendo la Birce entrare e rendendosi poi conto che le rivolgeva la parola per la prima volta e dandole del tu.

La Birce gli rispose con un sorriso che valse molto più di qualunque parola.

Era evidente, sotto gli occhi di tutti. Nell'arco di una mezz'oretta trascorsa in camera la giovane era tornata a essere quella di sempre. Era talmente evidente l'impressione che a nessuno dei presenti venne in mente di ricordarle la parte che aveva avuto durante la seduta.

Fu la padrona di casa, temendo che a qualcuno venisse la malsana idea di riportarla a quei momenti, a deviare definitivamente il discorso verso cose pratiche, materiali, come appunto la cena.

L'appello degli alimenti utilizzabili si era rivelato deficitario soprattutto per la quantità vista la presenza di due ospiti con tanto d'appetito quanto erano stati inattesi, quali il Cressogno e il Politti.

Fu la Birce a tranquillizzare la Carvasana.

C'erano uova?
Sì.
«Bene», fece la giovane.
Durante l'ispezione che aveva fatto in giardino aveva trovato di che fare una frittata con i fiocchi: non mancavano infatti, anzi crescevano rigogliose, tenerissime ortiche novelle che la Serpe sua madre le aveva insegnato a utilizzare per quasi ogni cibo e occasione.
Fu un successo, la frittata.
Buona, delicata, riuscì a strappare un complimento anche a Cesare Lombroso che aveva consumato la sua porzione guardando con fissità il piatto e ogni tanto scuotendo il capo.
Il Falcarotti e il Politti, superata la paura il primo e sentendo nascere l'amore per la Birce il secondo, fecero scarpetta anche nella padella, rastrellando gli avanzi di pane degli altri commensali.
«Non ne avremo più per la colazione di domani», disse il Cressogno.
A meno che qualcuno della compagnia non avesse la volontà di alzarsi all'alba per andare a prenderne altro al forno.
«Posso farlo io», disse la Birce.
Anch'io, rifletté tra sé Umberto Politti.

123.

Li ricontò, per l'ennesima volta, riguardandoli uno per uno.

Novantotto.

Novantotto pezzi di roccia raccolti nell'arco di due anni di passeggiate estive su tutte le montagne delle Alpi Orobie.

Il suo insegnante di geologia sarebbe stato contento, fu il pensiero di Erinio Trapani, felice di vedere realizzato in maniera così puntuale il compito che gli aveva assegnato.

C'erano gneiss, micascisti e filladi. C'erano campioni di conglomerati e arenarie. Non mancava nemmeno il pezzo forte della collezione, il verrucano lombardo, caratteristico della zona del Pizzo dei Tre Signori, per prendere un campione del quale aveva quasi rischiato di lasciarci la pelle.

Adesso ormai era ora di prepararli per il viaggio che li avrebbe portati a Torino.

Prima di incartarli li volle guardare ancora una volta uno per uno, li spolverò leggermente e infine procedette, avvolgendo lentamente ciascun pezzo, allegando un bigliettino in cui aveva annotato giorno, ora e luogo della raccolta.

Erinio sorrise di nuovo, il Sanatò lo avrebbe complimentato davanti a tutti gli altri studenti.

Il professor Sanatò, colui che aveva dato a lui e a un altro del corso, uno studente originario dell'Appennino toscano, quel compito. Era capitato quando il Sanatò aveva chiesto a ciascuno da che aree geografiche provenisse: quasi tutti di Torino e terre confinanti, tranne due.

Il professore s'era illuminato quando lui gli aveva detto di essere nato sulle rive del lago di Como, aveva raccontato dell'origine delle Alpi Orobie circa venti milioni di anni or sono durante il processo di sollevamento orogenico delle Alpi. E aveva chiesto al suo studente se avesse mai frequentato quelle rocce ricche di rilevamenti interessanti.

«Tutti gli anni, l'estate», aveva mentito rispondendo l'Erinio.

Il compito di reperire materiale di studio era immediatamente scattato. Così quella era la terza estate in cui trascorreva qualche giorno a casa della zia Ginetta e dello zio Nemore, allo scopo di mettere assieme la collezione che il giorno seguente avrebbe preso la strada per Torino.

Treno per la stazione di Milano alle cinque e dieci minuti.

Due valigie al seguito.

La prima, la più preziosa, quella contenente i reperti rocciosi.

La seconda, quella con i suoi effetti personali, compresi gli attrezzi che gli erano serviti per scalcare le rocce.

Tutti, tranne uno.

124.

«Scusa», disse Umberto Politti. «Ti ho svegliato?»

Il Falcarotti si appoggiò su un gomito.

«A parte la scomodità della sistemazione che ci hanno riservato...» rispose.

Non c'era stata alternativa. Treni per Como a quell'ora non ce n'erano più, così avevano approfittato dell'ospitalità di villa Alba, ma avevano dovuto adattarsi. Altre camere non ce n'erano. O meglio, una quarta ci sarebbe stata, ma era quella piena di mobili vecchi e altre cianfrusaglie ed era risultato impossibile trasformarla in una decente camera da letto. Con l'aiuto della Birce la Carvasana aveva recuperato due materassi in discrete condizioni e, scusandosi con i due, aveva proposto di sistemarli nel corridoio, visto che l'unico divano di casa era occupato da Cesare Lombroso.

«...e a parte il rumore che hai appena fatto...» proseguì il giornalista.

Rumore di pitale scalciato che il Politti si era dimenticato di aver piazzato ai piedi del suo materasso: bagni comuni non ce n'erano, ogni camera era dotata del suo, così i due avevano dovuto accettare anche quella soluzione.

«...a parte queste cose», continuò il Falcarotti, «ti pare che al mio fiuto di giornalista sia potuto sfuggire che ti sei messo in testa delle idee riguardo a quella ragazza? E che adesso ti stai alzando per accompagnarla a prendere il pane della colazione così da potertene stare qualche momento solo soletto con lei?»

Il Politti sorrise e si sentì avvampare, ma tanto era ancora buio.
«Certo che voi giornalisti avete una bella fantasia», disse tanto per parlare.
«Lascia perdere», ribatté il Falcarotti, «piuttosto cerca di combinare in fretta.»
«Vorresti dire?»
«A meno che tu voglia piantare radici in questo posto, con quella dovresti chiudere in giornata. Non mi dispiacerebbe tornare a Como entro questa sera.»
Il Politti si accucciò per avvicinarsi all'amico e tenere bassa la voce.
«Che maniera di parlare è?»
«È un consiglio», rispose il Falcarotti.
Non gli sembrava infatti che la Birce meritasse uno spreco di tempo.
«Se ci siamo capiti», aggiunse il Falcarotti.
Tenendo anche conto che gli sembrava non proprio finita del tutto.
«E tu cosa ne sai?» chiese l'Umberto piccato.
Da quando in qua si intendeva di medicina, di spiritismo, di psiche umana?
Il Falcarotti sorrise nel buio, mostrando la chiostra candida dei denti.
«Va bene, va bene», disse, «come non detto.»
Non era proprio il caso di litigare quando c'era di mezzo l'amour.
«Come hai detto?» chiese il Politti.

125.

Se l'era tenuto stretto in mano, sotto le lenzuola.
Difficile tenerlo a bada.
Più pensava al viso di quella giovane più quello sembrava prendere vita, animarsi, staccarsi dalla sua presa per agire autonomamente.
Il viso.
I suoi movimenti composti.
La grazia che lei sembrava voler tenere tutta per sé.
Il sonno se n'era andato, niente di male.
Era già successo.
Si era rilassato nel buio, gli occhi aperti, fissi al soffitto, sempre stringendolo in mano, caldo come il resto del suo corpo, accarezzandolo di tanto in tanto e provando brividi di piacere che ricacciava subito nell'attesa del momento in cui l'avrebbe usato, dimostrando tutta la sua potenza.
Quando aveva udito il rumore di passi che aveva atteso per tutta la notte aveva compreso che il momento era arrivato.
Si era avviato, silenzioso, leggero.
Fuori, all'aperto, il cielo era magnificamente stellato, l'aria profumava dell'estate matura. Avrebbe posto ogni attenzione per non spaventarla.
Aveva pensato che la cosa migliore sarebbe stata fingere di incontrarla per caso.
Poi il cloroformio.
Il resto sarebbe stato un gioco da ragazzi.

126.

Quando il dottor Ariosti gli aveva detto che per le medicazioni quotidiane, due, avrebbe provveduto una delle suore che preparavano le ostie per la santa messa del prevosto, il Girgia aveva tirato giù un bestemmione che aveva fatto tremare i vetri della sua miserevole casa.

Non era una novità per chi lo conosceva, tutti sapevano che il suo vocabolario era perlopiù composto da bestemmie e imprecazioni di varia natura.

«Volete provvedere da voi?» aveva chiesto l'Ariosti. «Così che fra una settimana o due sarò costretto a tagliarvi la gamba sempre che prima non cada da sé?»

Il pescatore si era ferito mentre era in barca andando a cadere sulla sua fiocina e per una decina di giorni non aveva detto niente a nessuno e aveva tentato di medicarsi ricorrendo ai metodi più disparati. Quando infine s'era deciso a mostrarla al medico la gamba era rossa, infetta, dolente. Davanti a quel pezzo di carne che stava marcendo l'Ariosti aveva scosso la testa, dato dell'imbecille al pescatore ed eseguito una prima pulizia. Per le altre medicazioni aveva appunto informato il Girgia che avrebbe preso contatto con suor Celestina, una novizia la cui vocazione religiosa era cresciuta di pari passo con quella per la medicina.

Il Girgia non era nella condizione fisica ed economica di poter scegliere altrimenti, aveva accettato controvoglia e bestemmiando, ma nel giro di quattro, cinque giorni aveva mutato atteggiamento e pensiero.

Non si era propriamente convertito ma, tanto per dirne una, aveva cominciato a tirar saracche mentalmente in presenza della religiosa e soprattutto aveva cominciato a desiderare il suo arrivo poiché, da quando suor Celestina aveva messo mani alla gamba ferita, le cose avevano preso ad andare per il verso giusto come gli aveva confermato anche il dottor Ariosti.

Non l'avrebbe mai confessato a nessuno il Girgia ma ormai gli piacevano i modi di quella suorina, la delicatezza delle sue mani, la discrezione con la quale si muoveva, la puntualità.

Il martelletto colpì in quell'istante, preciso, quando il Girgia zoppicando raggiunse la finestra della cucina per dare un'occhiata alla strada e spiare l'arrivo di suor Celestina che stranamente non era puntuale come al solito quando la vedeva sbucare dalla contrada e gli sembrava camminare sulle note del campanile che battevano le cinque del mattino.

127.

Era stato ancora più facile di quello che aveva immaginato.

Un solo ostacolo, piccolo piccolo, i due zii.

Si era raccomandato la sera prima affinché non si disturbassero ad alzarsi a quell'ora per salutarlo.

Si erano abbracciati prima di andare a letto, la zia Ginetta gli aveva consegnato una lettera per la sorella, lo zio si era raccomandato di tornare presto a trovarli magari portando con sé i genitori.

Erinio era andato nella sua camera con la certezza che non sarebbe riuscito a dormire. Non aveva fatto altro che accarezzare il martelletto che non aveva messo in valigia, lasciando correre la fantasia e ogni tanto riflettendo se non fosse stato meglio entrare nella camera degli zii e far annusare anche a loro una bella dose di cloroformio, tanto per avere la certezza che non si svegliassero per le ragioni più varie. Soprattutto però non voleva che lo vedessero la mattina seguente.

Il perché non lo sapeva spiegare nemmeno a sé stesso. Non c'era un motivo preciso. Un sospetto, un'idea vaga. Il timore che qualcosa di ciò che si stava preparando a fare trasparisse dalla sua figura. Come se in quei momenti un altro sé lo abitasse e parlasse e si muovesse per conto proprio, e facesse di lui il proprio burattino.

Come se fosse abitato da uno spirito!

Gli spiriti, certo!, aveva pensato ridendo.

Solo un idiota poteva crederci, e scriverci libri. E tenere conferenze. E pretendere che qualcuno credesse alle sue parole.

Aveva scacciato l'idea del cloroformio agli zii, gli spiriti non esistevano e se la sua guida avesse sospettato che covava dubbi in tal senso non gli avrebbe più rivolto la parola.

«L'aldilà l'abbiamo creato noi.»

Sull'aldilà camminavamo tutti i giorni, lo calpestavamo con i nostri piedi. Calpestavamo i morti che stavano sottoterra, nell'aldilà pieno di fosse scavate dall'uomo.

I morti silenziosi e immobili.

Aveva chiesto scusa alla sua guida.

Non aveva dormito.

E poco prima delle cinque, al momento di uscire da casa si era trovato faccia a faccia con gli zii.

«Volevamo salutarti un'ultima volta», aveva detto la zia Ginetta.

Perché un'ultima?

Erinio era stato assalito dal timore di essersi tradito.

Le facce dei due zii erano da sonno. Forse avevano puntato la sveglia per non mancare l'appuntamento.

Li aveva riabbracciati.

Prima lo zio, poi la zia Ginetta che era molto più piccola di lui.

Nell'abbraccio lei l'aveva sentito.

«Ma cos'hai qui?»

Il martelletto.

«Niente», aveva risposto sentendosi improvvisamente inquieto.

«Cosa c'è?» aveva chiesto lo zio.

Il martelletto infilato dietro, nei pantaloni, il flaconcino di cloroformio in tasca.

«Niente», aveva ripetuto.

Poi: «Sarà meglio che mi sbrighi se voglio prendere il treno».

«Ma c'è ancora tempo!» la zia Ginetta.

Lui aveva già raggiunto la porta.
No, non ce n'era quasi più di tempo. Doveva beccare la suora prima che salisse dal pescatore, non poteva rischiare che venisse giorno, non poteva aspettare che quella finisse la medicazione.
Era sceso in strada per infilarsi nella contrada dove abitava il Girgia. Il portone sempre aperto, l'aveva già verificato, l'atrio dove il pescatore teneva un po' di reti e altri attrezzi era l'angolo ideale per nascondersi.
C'era puzza di pesce e piscia di gatto. Qualche rumore, una sedia smossa.
Suor Celestina era entrata ma non l'aveva vista in faccia.
Un viso docile e sereno.
Non l'aveva vista perché l'aveva aggredita da dietro, la pezza imbevuta di anestetico già pronta in una mano, l'altra a tapparle la bocca.
Gli spiriti non esistono idiota!
La suora s'era abbandonata tra le sue braccia, gli sembrò un gesto d'amore.
L'aveva adagiata in terra, aveva preso il martelletto, e poi...
Niente di più facile, tutto perfetto, nessuna sbavatura.
La sua guida sarebbe stata più che soddisfatta.
L'aveva colpita.
Tac!
Un colpo solo, preciso, fatale.
Precisione chirurgica.

128.

Per quanto piano avesse fatto, la Birce ne avvertì il passo. Aveva l'orecchio fino della Serpe, che diceva di sentire il rumore dell'erba crescere nei prati.

Più di una volta, durante il tragitto tra villa Alba e il centro del paese dove stava il fornaio, la giovane si fermò, senza girarsi.

E l'Umberto, che la teneva d'occhio a una cinquantina di metri dietro, insieme con lei.

Forse le giungeva all'orecchio lo scricchiolio, peraltro tenue, delle scarpe. O forse l'intensità del suo respiro affannato, non certo per la corsa però, piuttosto per...

Come aveva detto il Falcarotti?

L'amour!

O forse la Birce aveva davvero qualcosa di speciale e percepiva cose che per i più sembravano non esistere.

Be', si disse il Politti, in quel caso il suo compito sarebbe stato più facile, non avrebbe dovuto spiegare più di tanto quello che aveva cominciato a sentire dentro di sé subito dopo averla vista il giorno prima.

Come fu, come non fu, forse perché la Birce aveva compreso che qualcuno la stava seguendo e aveva deciso di seminarlo allungando il passo, forse perché il Politti si distrasse per riflettere su ciò che le avrebbe detto una volta che l'avesse raggiunta e si fosse messo al suo fianco, i due si persero di vista.

Meglio, poco prima di raggiungere il centro del paese dove stava il fornaio, l'Umberto non la vide più.

Albeggiava e c'era nell'aria un concerto di poche voci, quelle dei commercianti che aprivano le botteghe di generi alimentari. Fu a uno di costoro, un pizzicagnolo robusto, che il Politti chiese indicazioni circa il forno. Dopo un paio di tentativi, in dialetto e assumendo a punti di riferimento altrettante botteghe e un paio di viuzze che però il Politti non conosceva, l'uomo si decise per accompagnare il forestiero. Giunto all'angolo della via su cui si apriva la bottega del fornaio, il pizzicagnolo fece per aprire la bocca.

«Ecco...»

La Birce li investì, finendo addosso al commerciante dapprima.

Lo guardò, poi rivolse lo sguardo al Politti e, riconoscendolo, si gettò tra le sue braccia.

Singhiozzava, ma l'Umberto si sentiva singolarmente felice.

129.

Doveva essere così e così era stato.

La sua guida glielo aveva raccomandato: il suo non sarebbe stato un uccidere per lucro o per altra prosaica ragione. I corpi che si lasciava dietro erano piuttosto i messaggi di una sfida, il proclama della superiorità di una mente sull'altra.

«Le nostre menti», aveva detto la guida.

«La mia», aveva aggiunto.

Che volava sopra le idiozie che si andavano spargendo per il mondo.

Solo la matematica invece poteva condurre alla comprensione profonda della natura umana.

E poi anche la sua.

«Anche la tua, mio caro», aveva detto la guida.

Che doveva superare il condizionamento di madre natura, quel difetto, come veniva comunemente definito, che gli impediva di essere uomo a tutti gli effetti secondo il pensiero corrente.

Forse che un uomo poteva dirsi tale solo per la potenza sessuale, solo grazie alle dimensioni del suo apparato genitale?

Erinio Trapani stava viaggiando alla volta di Torino.

Non sarebbe dovuto stare lì, proprio in quella carrozza.

Invece non aveva resistito all'impulso di sceglierne una occupata da tre donne: una madre e una figlia, subito individuate grazie alle parole della seconda che aveva chiesto alla madre di poter cambiare posto al fine di stare vicino al finestrino. E una terza, giovane e avvenente (Miriam, ne aveva spiato il solo nome da un'etichetta attaccata al bagaglio), che aveva già avviato con le altre due una conversazione.

Oh, quella vicinanza!

Quei profumi, quelle occhiate, quelle caviglie che ogni tanto si rivelavano sotto l'orlo delle gonne!

E i pensieri che ne derivavano.

Le tre donne chiacchieravano ormai come fossero vecchie amiche. Di tanto in tanto ridacchiavano tra loro. Timorose di disturbare, la mano davanti alla bocca, lanciando verso di lui brevi occhiate.

Erinio chiuse gli occhi, voleva fingere di dormire. Ma nel buio fittizio si trovò dentro una camera con quelle tre. L'avevano invitato loro a entrare. Le sentiva ridere, piccole, brevi risate invitanti.

Rise anche il giovane, sentendo il sangue circolare veloce, caldo e impetuoso. Dappertutto, tranne che là.

Ridevano le tre donne.

Il treno sobbalzava.

Era in una camera, i sobbalzi erano quelli di un letto sul quale era steso insieme con quelle tre donne che ridevano.

Ridevano di lui, del suo infantilismo?

Erinio infilò la mano dietro la schiena dove aveva infilato il martelletto.

Le tre donne si zittirono all'improvviso.

Forse avevano notato quel movimento?

Potevano aver pensato che lui...

Non poteva lasciarsi trascinare da quei pensieri, abboccare all'amo di certe provocazioni, la sua guida non gli avrebbe perdonato certi errori.

Non doveva guardare, doveva stare solo dentro il buio che aveva creato e modificare il pensiero.

Rivedere ciò che aveva appena compiuto, ecco quello che doveva fare.

L'attesa in quell'antro odoroso di pesce e piscia di gatto, il suo respiro tranquillo, i brevi suoni che anticipavano l'alba. L'odore forte di lago. Un merlo che aveva cantato. Una persiana che si era aperta, una luce che aveva illuminato una finestra.

Un rumore di tacchi.

Le suore portavano tacchi?

Suor Celestina s'era annunciata così. Era entrata e si era fermata senza un motivo apparente. Perché non avesse proseguito per la scala verso la casa del pescatore l'Erinio l'aveva compreso dopo averla uccisa, quando aveva notato una piccola immagine della Madonna cementata nel muro.

«Beata Vergine di Lezzeno sopra Bellano.»

S'era fermata per devozione, fatale. Lui ne aveva approfittato e si era quasi meravigliato per la dolcezza con la quale la suora gli si era abbandonata dopo aver inalato il cloroformio.

Poi era stato tutto facile, tutto perfetto, nemmeno una sbavatura.

Aveva tolto il velo, scoprendo il capo quasi rasato della religiosa e con tutta calma le aveva dato quell'unico colpo, silenzioso, preciso e mortale. L'aveva trascinata fuori, in mezzo alla via.

«I corpi che lascerai dietro di te saranno altrettanti messaggeri senza più voce.»

Il messaggio l'aveva messo in una mano di suor Celestina.

«Capirà chi deve capire», aveva detto la guida.

L'aveva guardata prima di avviarsi alla volta della stazione.

Soddisfatto.

Poi aveva tirato verso il basso la veste della suora che nel trasportarla dall'atrio alla strada si era scomposta mettendo in luce le ginocchia.

Le aveva guardate prima di coprirle.

Le aveva accarezzate.
Poi aveva accarezzato le sue.
Adesso si sentì toccare.
Aprì gli occhi, tornò sulla carrozza che viaggiava alla volta di Torino, lasciò Bellano, suor Celestina, le sue ginocchia.
Una delle tre l'aveva toccato.
Miriam, la terza, la più ciarliera.
Solitaria.
Stava uscendo.
Non gli aveva chiesto scusa. Forse pensava che stesse dormendo, che non avesse avvertito il tocco.
Ma adesso, mentre si girava per chiudere la porta della carrozza, lo guardò, non poteva non aver notato i suoi occhi aperti, il suo sguardo diretto su di lei.
Erinio tossicchiò.
La madre e la figlia tacevano, si guardavano.
Non c'era tempo da perdere.
Poteva dare alla guida una prova di perfezione. Doveva agire subito però.
Oppure starsene fermo lì.
Quel tocco, quello sguardo avevano forse un significato?
Che fossero un invito, una sfida?
Il sangue, che andava dappertutto tranne che là!
Le tre donne avevano riso fino a poco prima.
Forse avevano riso di lui.
Forse lo stavano mettendo alla prova.
Forse avrebbero riso ancora di più, fra un po'.
Erinio si alzò. Le due donne gli diedero appena uno sguardo. Non udì commenti quando uscì dallo scompartimento. Miriam era circa a metà del corridoio del vagone, si stava dirigendo verso la toilette, sballottata da una parte e dall'altra. Il giovane stimò difficile raggiungerla. Forse avrebbe fatto bene a rinunciare al suo progetto. Fu lì per farlo quando la porta di un altro scompartimento si aprì. Uscì una vecchia appoggiata al braccio di un uo-

mo. Occupavano l'intero corridoio, Miriam si dovette fermare, Erinio la raggiunse, si fermò un paio di passi dietro.

La vecchia voleva fumare. Il suo accompagnatore si accese una sigaretta poi gliela passò. Quindi fecero strada ai due che attendevano.

Pochi passi e furono entrambi davanti alla porta della toilette.

130.

Era pur sempre un medico, aveva riflettuto Umberto Politti dopo aver compreso che la Birce era sconvolta per aver inciampato in un corpo steso a terra ed essersi impiastrata con il sangue che s'era riversato tutto intorno.

Aveva detto al pizzicagnolo di prendersi cura della giovane, portarla nella sua bottega, farla sedere, darle da bere qualcosa di forte e riaccompagnarla a villa Alba, poi era corso nella direzione indicata dalla Birce e s'era trovato davanti al cadavere di suor Celestina.

Pur nella sua limitata esperienza, non aveva faticato a comprendere che per la religiosa non c'era più niente da fare. Ciononostante, pur contro ogni logica, aveva sollevato il capo della suorina col risultato di trovarsi le mani impiastricciate di sangue. Le aveva ritratte, guardandole, poi aveva ispezionato il cranio della religiosa, reperendo il foro da cui usciva ancora un poco di sangue in via di coagulazione.

Solo in quel momento si era chiesto cosa fare e aveva corso lungo la contrada per sbucare nella piazza, davanti al molo ancora privo di movimento.

Non aveva saputo fare altro.

Aveva gridato.

«C'è qualcuno?» rendendosi quasi subito conto della stupidità di ciò che aveva detto.

Gli aveva risposto il Girgia, dalla finestra della sua cucina che dava proprio sulla strada e sulla piazza.

«Cosa c'è?»

Era irritato. Il ritardo di suor Celestina lo aveva messo di malumore, il grido del Politti non aveva fatto altro che irritarlo ancora di più.

Si era affacciato e sulle prime era rimasto senza parole. La luce era ancora incerta, tuttavia lo spettacolo che gli si era offerto lasciava adito a più di un dubbio.

«Cosa diavolo avete?» aveva gridato.

In un istante il Politti aveva realizzato cosa volesse significare la domanda di quell'uomo.

«Io...» aveva tentato di rispondere.

Ma il pescatore era sparito dalla finestra.

«Ascoltate!» aveva gridato ancora l'Umberto.

Come poteva pensare che lui...

«Vi ascolto eccome», aveva risposto il pescatore ricomparendo alla finestra.

Aveva in mano un fucile, l'eredità di un suo fratello. Glielo aveva puntato contro.

«Non spara da un po'», aveva detto il pescatore, «ma spara. Guai a voi se vi muovete.»

Il Politti, per la paura, aveva anche alzato le mani.

Il Girgia allora aveva sparato in aria. Un colpo di fucile a quell'ora e nel centro del paese non sarebbe passato inascoltato.

Era stato così.

Nell'arco di un quarto d'ora, a cominciare dalla moglie del fornaio, la prima a sentire il colpo d'arma da fuoco, erano arrivati la superiora di suor Celestina, il signor prevosto, il maresciallo dei carabinieri, il soteramòrt Deneghi con il suo aiutante.

131.

La rapidità, affinata nel corso delle azioni precedenti, permise a Erinio Trapani di entrare nella toilette dietro la donna senza che lei se ne avvedesse subito. A rendere ancora più favorevole il momento, l'assenza di altri viaggiatori nel piccolo spazio tra una carrozza e l'altra.

Il giovane aveva già preparato il martelletto, stretto nella mano destra nascosta sotto la giacca. Del cloroformio non si era dato pensiero. Ma il messaggio sul foglietto, quello sì, ce l'aveva in tasca. Si sentiva pronto ad agire anche senza, nello spazio ristretto della toilette: una mano ben stretta sulla bocca, un colpo deciso sulla nuca per stordire la donna, poi avrebbe avuto tutto il tempo per portare a termine il lavoro.

Rapido, quindi.

Non appena la donna entrò, lui le diede un colpo con la mano aperta che le fece perdere l'equilibrio mandandola a sbattere contro la parete di fronte.

Rapido.

Con il piede un colpo alla porta che si richiuse alle sue spalle, la mano sinistra alla bocca della donna di cui vide nello specchio gli occhi sgranati per la sorpresa e poi...

Rapido.

Troppo.

Non si era accorto che la giacca era rimasta impigliata, incastrata nella porta della toilette. Fece un mezzo passo in avanti con la destra già pronta a colpire per stordire la donna quando si sentì tirare.

Il primo pensiero stupido, inutile, illogico fu che qualcuno dietro lui l'avesse afferrato.
Pensiero fatale.
Erinio si girò per guardare.
Una frazione di secondo, forse meno. Fu sufficiente per perdere d'occhio i movimenti della donna, rilasciare un istante la presa sul martelletto.
Con il braccio sinistro la donna lo colpì al polso, il martelletto cadde.
Sia l'Erinio sia la donna si chinarono per afferrarlo.
Fu lei, stavolta, a essere rapida, appena più rapida di lui. Compirono lo stesso movimento quasi contemporaneamente, giusto un pelo prima la donna che, chinandosi, con la spalla urtò la testa del giovane facendolo sbandare di lato contro la porta della toilette. Da terra l'Erinio, appena stordito, allungò la mano verso il martelletto, riuscì ad afferrarlo giusto un secondo prima che la donna lo bloccasse ponendoci sopra il piede.
Adesso era di nuovo suo.
Lo strinse, con la destra, facendo leva con l'altro braccio per rimettersi in piedi.
La donna era impacciata dal vestito, soprattutto dalla lunga gonna.
L'Erinio fece forza sulle gambe per alzarsi, il martelletto ben stretto nella mano destra.
La donna allora sollevò la gonna.
Senza pudore, mostrando ben più che le ginocchia. Lo sguardo del giovane corse su per le cosce, alle giarrettiere e più su ancora...
Per un istante il sangue dell'Erinio subì un contraccolpo.
Ciò che stava vedendo...
Fu sufficiente.
La donna mollò un calcio al braccio che reggeva il martelletto. Lo sguardo del giovane si spostò rapidamente da ciò che aveva da sempre sognato e desiderato verso la mano destra.

Ebbe la chiara visione dell'arco compiuto dal suo arto destro colpito dal colpo della donna.
Un arco perfetto, senza sbavature.
Non trovò opposizione, il giovane non si aspettava una reazione simile, i suoi muscoli non reagirono per tempo.
Il martelletto infine.
Lo vide all'ultimo istante.
L'ultimo istante di vita.
Poco prima che la punta, rivolta verso di lui, gli si piantasse nel centro dell'osso frontale.

132.

I

L'ultimo a scendere nella cucina di villa Alba fu il Falcarotti.

Poco dopo la partenza del suo socio s'era finalmente addormentato qualche ora, svegliandosi con una fame della madonna. L'idea di una bella colazione con del pane fresco di forno lo spinse a rimandare le abluzioni mattutine e a scendere le scale il naso all'aria, cercando tracce del profumo di michette sfornate da poco. Giunto al piano però altro odore gli entrò nelle narici, e fastidioso soprattutto essendo mattina: aceto.

La Carvasana non aveva sali in casa, l'aceto era stato l'unico rimedio che aveva immaginato affinché la Birce, inspirandone i fumi, si riprendesse da ciò cui aveva assistito e raccontato agli altri ospiti riuniti nella cucina.

«Cos'è successo?» chiese il Falcarotti rendendosi conto che qualcosa, di strano se non di grave, doveva essere accaduto per allocchire i presenti in cucina.

Nessuno gli rispose.

Toccò ancora a lui rompere il silenzio.

«E l'Umberto dov'è?»

II

In caserma.

Dove, non sapendo se arrestarlo o meno, e se sì, per

quale motivo, il maresciallo dei reali carabinieri Perilio Santavece l'aveva invitato per farsi raccontare l'accaduto onde redigere il conseguente verbale, in attesa che il dottor Ariosti, in funzione di necroscopo, giungesse per aggiornarlo sulle cause della morte della religiosa.

La versione che il Politti gli aveva già più di una volta servito non faceva una piega, era logica. Ma ci voleva qualche testimone.

«La Birce», disse l'Umberto.

«Dov'è?» chiese il Santavece.

L'aveva affidata al pizzicagnolo, spiegò il Politti.

«E a proposito», segnalò, «anche lui può confermare almeno in parte ciò che vi ho detto.»

«Mmmh!» fece il maresciallo.

Era una grana.

Una bella grana, ed era solo ad affrontarla perché non poteva contare sui due giovanotti senza esperienza che completavano la guarnigione bellanese.

Almeno non ci fosse stata di mezzo una suora, una religiosa...

Perché, si sapeva, con la religione di mezzo tutto si complicava, diventava delicato e...

III

... interessante.

Molto interessante.

Attirava i curiosi come il miele le mosche.

Per un giornalista, ragionò il Falcarotti, un caso del genere poteva essere una pacchia.

Non solo.

Per un giornalista che si trovava già sul posto, da solo e con tutto il tempo per agire, era un vero e proprio colpo di culo.

Con discrezione, per non dare ad alcuno l'impressione di comportarsi al pari di un avvoltoio, il Falcarotti disse che sarebbe andato alla ricerca dell'amico.

«Potrebbe avere bisogno di qualcosa», buttò lì.

Non se la sentiva di lasciarlo solo, in balia degli eventi.

Nemmeno la Carvasana se la sentiva di stare ancora in balia di quegli eventi, quegli eventi che erano cominciati con l'ingresso in casa sua della Birce e ai quali voleva dare un taglio netto, rispedendo al mittente la giovane e con ampia giustificazione del suo agire.

Perciò le serviva un'oretta per discutere a fondo della questione sia col Lombroso sia con la Palladino, alla larga da orecchie estranee: solo la scienza, occulta o meno, poteva spiegare ciò che era successo alla Birce.

«Fateci sapere», rispose quindi al Falcarotti mentre invitava la Birce a seguirla per accomodarsi su una delle chaise-longue del terrazzo a respirare un poco dell'aria fresca del mattino. Fu poco prima di uscire che la medium lo avvicinò per prenderlo da parte.

«Di tutto ciò cui avete assistito, vi pregherei di non scrivere niente», disse.

Il Falcarotti aveva fretta di andare, ma la curiosità del giornalista ebbe il sopravvento.

«Perché?» chiese.

La medium sorrise stancamente.

«Avete già fatto una domanda di troppo», rispose.

«Perché?» scappò ancora al giornalista.

«Vi preme la vita?» chiese a sua volta la Palladino.

Dico, ma era una domanda da fare quella?

IV

Da parte di un carabiniere poi, un maresciallo!

«Che io sappia, niente», rispose il Politti.

A villa Alba non aveva notato niente di strano, né gli era sembrata strana la padrona di casa.

La Birce, semmai.

Ma, visto che il signor maresciallo gli aveva chiesto se avesse notato stranezze dentro la villa o nella padrona, tralasciando la giovane, Umberto Politti si era strettamente attenuto alla domanda rispondendo di conseguenza.

«Va bene», fece il maresciallo che non sapeva cos'altro fare in attesa del dottor Ariosti e delle sue conclusioni.

«Perché, vedete...» disse allora tanto per occupare il silenzio.

Non è che avesse parlato solo per dire, qualche ragione per avergli posto quella domanda l'aveva.

«Ne ho sentite molte intorno a quella villa», affermò.

Storie non recenti, chiacchiere di paese...

«Ma come sapete, spesso dentro queste chiacchiere si nasconde un nocciolo di verità.»

Voci che riguardavano il proprietario precedente di cui si raccontava che fosse un collezionista un po' particolare.

«Collezionista di terre di cimiteri», spiegò il maresciallo.

Cosa se ne facesse, non lo sapeva nessuno. E visto che nessuno lo sapeva la fantasia del popolo si era sbizzarrita a immaginare riti di vario genere. Sta di fatto che nessuno mai aveva avuto la certezza di qualcosa, anche se un muratore era andato raccontando di una specie di magazzino segreto e di certi vasi sul cui contenuto il vecchio proprietario non si era mai espresso, licenziandolo in tronco però il giorno in cui durante un lavoro all'interno del detto magazzino ne aveva rotto accidentalmente uno. Dopodiché sembrava che mai più alcun estraneo fosse entrato nella villa.

«Per questo vi ho fatto quella domanda.»

Perché dopo la morte del vecchio padrone la villa era rimasta chiusa per un bel po', alimentando peraltro nuove leggende. C'era stato chi passando di notte aveva sentito voci o rumori, chi aveva visto le finestre illuminate benché all'interno non ci fosse nessuno.

«Cose così», concluse il maresciallo, «baggianate, a cui però qualcuno crede.»
«E voi maresciallo?» scappò detto all'Umberto.
«Io credo a quello che vedo con i miei occhi», rispose il carabiniere.

V

Il dottor Ariosti non aveva mai visto niente di simile.
Non gli mancava certo l'esperienza, ma una cosa del genere, mai.
Lo disse a suor Albarda, che dirigeva il piccolo drappello di religiose dedite all'assistenza del prevosto, dopo aver ispezionato il corpo di suor Celestina che era stata portata nella sua cameretta.
La suora tacque. L'Ariosti fu costretto a essere più esplicito.
«Madre», disse, «mi dispiace dirlo ma è mio dovere farlo: a mio giudizio la morte di suor Celestina non è stata accidentale.»
Ostinata nel silenzio, suor Albarda tenne ancora la bocca chiusa.
«Vi ho detto che per me si tratta... sì, si potrebbe trattare di un omicidio.»
La superiora si riscosse.
«Ne siete certo?» chiese con semplicità.
Il dottor Ariosti conosceva bene quella suora e ne aveva sempre apprezzata la compostezza. Sapeva che quanto le aveva appena comunicato la stava sconvolgendo intimamente. Immaginava la sua preoccupazione per ciò che ne sarebbe derivato sulla pace delle altre consorelle, le chiacchiere anche velenose che avrebbero coinvolto la sua piccola comunità, le illazioni e chissà cos'altro la fantasia di qualche malvagio avrebbe saputo inventare.
Ma non poteva farci niente.

«Sono certo che di questa mia ipotesi dovrò informare il signor maresciallo», disse il dottor Ariosti.

«Sia lodato il Signore», rispose suor Albarda.

«Sempre sia lodato», rispose il dottore.

133.

Pure il ferroviere Aristemo Spattanelli non aveva mai visto una cosa del genere né mai si era trovato in situazioni anche lontanamente paragonabili a quella.

Era sbucato nella carrozza di prima classe, proprio davanti alla porta della toilette, nel momento in cui la donna aveva aperto.

Il corpo già privo di vita di Erinio Trapani, con il martelletto ancora piantato in centro alla fronte, gli era caduto tra i piedi. Davanti ai suoi occhi una donna, appoggiata alla parte della toilette, che tentava di dire qualcosa senza riuscire ad articolare una parola.

«Cristo!» aveva detto.

E per un tempo che gli era sembrato senza fine era rimasto pure lui impietrito.

Aveva spezzettato l'indecisione di quei momenti cercando di immaginare cosa fosse meglio fare per prima cosa, chiedere alla donna cosa fosse successo, chiamare aiuto, chinarsi verso il giovanotto che aveva tra i piedi con quell'affare piantato in fronte.

Era stato il rumore di freni del treno a riportarlo alla realtà del momento.

Si avvicinava una stazione.

Era riuscito a riflettere con lucidità.

«Vercelli», aveva mormorato tra sé.

Vercelli, aveva comunicato alla donna che gli aveva risposto con uno sguardo di terrore come se lui l'avesse minacciata di chissà che.

Allora aveva preso la decisione, la meno opportuna visto che ormai il treno stava entrando in stazione, e s'era attaccato al freno di emergenza con tutta la forza che aveva, bloccando il convoglio proprio all'imbocco della stazione.

Quindi, stanco come avesse fatto uno sforzo sovrumano e incapace di fare o pensare altro, aveva atteso l'arrivo del capotreno che, pur sconvolto da ciò che vide, prese il comando delle operazioni sollevando il disorientato Spattanelli.

134.

Sollevato, nel morale, anche il maresciallo Santavece dopo aver sentito la relazione del dottor Ariosti.

Bisognava capirlo.

Più che minuterie criminali non aveva mai trattato sino a quel momento, a quelle s'era adattato e su quelle aveva affinato il suo fiuto indagatore.

Un omicidio, vero o presunto che fosse, era fuori dalle sue coordinate, era una cosa che riguardava altri e più alti gradi, quelli che comandavano in Lecco e che andavano immediatamente avvisati perché era di loro che adesso c'era bisogno.

Lui e i suoi giovani e inesperti carabinieri avrebbero offerto un supporto logistico e informativo: il resto era fuori dalle loro competenze.

L'Ariosti gli aveva chiarito per bene il quadro della situazione.

La lesione che aveva causato la morte per «dissanguamento e shock cerebrale» della religiosa non era compatibile con alcuna possibilità di causa accidentale che aveva riscontrato nell'area dove il fatto era avvenuto.

«Quella stessa lesione poi», aveva aggiunto il dottore, «ha una sua particolarità che la rende unica. Non sono un esperto ma sono certo che potrà raccontare qualcosa a chi ne sa più di me.»

Era pronto a scommettere, aveva detto, che il colpo che l'aveva prodotta fosse stato unico, e un'altra cosa.

«Qui lo dico e qui lo nego», aveva affermato il dottor

Ariosti in tutta serietà, «ma non riesco a togliermi dalla testa che quella povera suora fosse in completa balia del suo aggressore quando è stata colpita.»

«Dite?» aveva chiesto il Santavece. «Possibile che non abbia tentato una reazione?»

L'Ariosti aveva allargato le braccia, le sue deduzioni si fermavano lì. Toccava ad altri adesso chiarire il mistero dei fatti.

«E infine», aveva aggiunto.

Infine, per quanto potesse essere utile benché ne dubitasse fortemente, aveva trovato nella mano destra della poveretta un bigliettino recante una scritta, dei segni, una cosa che ricordava un'equazione ma che a lui, benché fosse appassionato di matematica, non diceva assolutamente niente.

«Ve lo consegno», aveva detto il dottore.

Umberto Politti era rimasto alle spalle dei due, nell'ufficio del maresciallo che di lui non aveva ancora deciso cosa fare.

All'uscita del dottore aveva drizzato le orecchie e s'era morsicato la lingua.

Zitto!, s'era detto.

Non una parola su ciò che aveva visto la sera prima, sul mistero di quei segni o equazione che fosse, prima di rinnovare la curiosità del Santavece sui misteri di villa Alba.

Però aveva bisogno di parlarne con qualcuno.

«Signor maresciallo, io...» fece quando il dottor Ariosti terminò la sua relazione.

Il Santavece lo guardò poi guardò il dottore.

«È un testimone dei fatti», spiegò all'Ariosti.

«Avete visto tutto?» chiese questi.

Fu lo stesso maresciallo a correggersi.

«No, non proprio tutto...»

«Sono arrivato subito dopo», completò l'Umberto, «quando la poveretta era ormai morta.»

«Ne siete certo?» chiese il dottor Ariosti.

«Dottor Umberto Politti», si presentò il giovane.
L'Ariosti allungò la mano.
«Piacere, caro collega.»
«Avete notato qualcosa che a me è sfuggito?» chiese poi.
«Quel poco che ho visto l'ho già riferito al signor maresciallo.»
«Bene. Allora possiamo andare. Cosa ne dite, maresciallo?» chiese l'Ariosti.
Il Santavece si strinse nelle spalle.
«Certamente dottore», rispose, «tanto più che...»
«...che sa dove trovarci nel caso avesse bisogno di noi», disse a mo' di saluto l'Ariosti.

135.

Ederardo Falcarotti trepidava.

Dell'Umberto nessuna traccia, evabbe'.

In compenso molte altre tracce del fatto testé accaduto che l'avevano richiamato all'ordine e al primo dei suoi doveri di giornalista: addentare la notizia come se lui fosse un cane e quella l'osso.

Di certo certissimo, nonostante avesse girato per le viuzze di Bellano per quasi un'ora, aveva solo e ancora quello che la Birce tra un singhiozzo e l'altro aveva riferito nella cucina di villa Alba. Per il resto aveva raccolto impressioni come le tracce della pozza di sangue dove era avvenuto il fatto già prosciugata dall'intervento di una delle consorelle della defunta e quella dell'antro dove era presumibilmente avvenuto l'agguato, e voci tra cui il diniego gentile di rispondere a qualsivoglia domanda da parte sua e la serie irriferibile di bestemmie con le quali il pescatore Girgia gli aveva proibito di mettere anche la sola punta delle scarpe in casa sua. Nonostante ciò la cornice per un pezzo d'eccezione l'aveva: il piccolo borgo di lago dove mai succedeva qualcosa di eclatante, la sua apparente pace, il mistero di una mente criminale che sceglie proprio quel posto per un efferato delitto eccetera eccetera. Ma gli mancavano dati di fatto, dichiarazioni, impressioni e ipotesi da inserire tra una descrizione d'ambiente e l'altra per dare al suo scritto il tono di un vero e proprio articolo di cronaca e non quello di un feuilleton.

L'unico che gli aveva riferito qualcosa di certo era il robusto pizzicagnolo che aveva raccontato di aver ospitato e rinfrancato con un po' di liquore la povera Birce prima di accompagnarla a villa Alba secondo quanto gli aveva chiesto uno che non conosceva e che passava di lì.

«Uno fatto così e cosà?» aveva chiesto il Falcarotti.

Proprio fatto così e cosà aveva risposto il pizzicagnolo.

Il Politti, senza ombra di dubbio.

Che però, per quanto poi l'avesse cercato, non aveva trovato da nessuna parte e nemmeno aveva incrociato qualcuno che gli sapesse dire se per caso aveva intravisto uno fatto così e cosà e che fine avesse fatto.

Roba da mettersi a ridere, o piangere, secondo preferenza!

Nel suo miglior amico, nell'amico che s'era tirato dietro in quell'avventura aveva il testimone d'eccellenza di un fatto che avrebbe tenuto in scacco i lettori del giornale per settimane, e non sapeva dove fosse.

Per fortuna non erano a Como dove c'era ben altra concorrenza con il rischio che qualcuno gli soffiasse la notizia.

"Calma", si disse il Falcarotti ragionando sul da fare con il paese alle spalle e il lago sotto gli occhi.

Meglio ripartire dall'inizio.

Da villa Alba cioè.

Dove nel frattempo Umberto Politti aveva fatto ritorno con la necessità di comunicare urgentemente con il suo idolo Cesare Lombroso.

136.

Il maresciallo Santavece aveva messo sull'avviso i due carabinieri Volece e Gabbinetti del prossimo arrivo di superiori da Lecco per le necessarie indagini: voleva che la caserma fosse in ordine perfetto. Non solo lei, anche loro: divise impeccabili, barba, capelli, tutto insomma.

Quando udì il campanello maledì la modernità che aveva messo a disposizione dell'essere umano il telegrafo per comunicare rapidamente e i treni diretti per altrettanto rapidamente viaggiare.

Tuttavia, nonostante i progressi della modernità, gli sembrò inconcepibile che i suoi superiori fossero già lì, a meno che non avessero messo le ali.

Infatti.

Il carabiniere Gabbinetti gli confermò che gli alti gradi dell'Arma ancora non disponevano di ali incorporate.

«Un signore vuole parlare con voi», comunicò il carabiniere. «Ha detto di chiamarsi dottor Ombroso.»

Era il giorno dei dottori, rifletté il maresciallo.

«Fallo passare», disse.

«È insieme con altri due però», specificò il Gabbinetti.

«E chi sono?»

Uno era fatto così e cosà, come quello che era rimasto lì in caserma fino a poco prima, l'altro era una donna.

«L'altra», corresse il Santavece.

Poi si alzò per andare di persona a vedere il trio che aspettava nell'atrio e cosa volesse in una giornata già così concitata e con i superiori in arrivo da Lecco.

L'alienista non aveva perso tempo dopo la relazione del Politti circa ciò che aveva appreso ascoltando le parole del dottor Ariosti.

«Voglio vedere quel biglietto», aveva detto.

Solo la Palladino aveva capito il perché.

Cioè, più che capito, intuito che nell'animo di Cesare Lombroso si era ormai formata una certezza difficile da esprimere a parole ma comunque innegabile. Una certezza che si nascondeva dietro una maschera che altro non era che quel bigliettino, quei segni, quella formula, equazione o cos'altro diavolo fosse.

Quella stessa cosa che la Birce durante la seduta aveva grattato sul legno del tavolo!

«Vi accompagno», aveva allora deciso l'Umberto.

Non capiva cosa stava succedendo ma voleva stare vicino al suo maestro adesso che, pur non avendone coscienza, sembrava che gli avesse reso un bel servizio.

«Mi mostrerete dov'è la caserma», aveva accettato l'alienista.

«E forse è meglio che venga anche lei», aveva suggerito il giovanotto indicando la Birce.

Giuditta Carvasana ne aveva chiesta la ragione.

«Il signor maresciallo ha tutte le intenzioni di interrogarla», aveva spiegato l'Umberto, «e credo che per lei sia meglio che lo faccia subito e alla presenza di... be', insomma, di due colleghi.»

Lombroso gli aveva solo dato un'occhiata.

«Per me...» aveva poi detto.

Una volta in caserma, nell'ufficio del maresciallo e rifatte le presentazioni: «Lombroso, con la elle», l'alienista prese il comando.

Alla richiesta di mostrargli il bigliettino ritrovato nella tasca di suor Celestina, il maresciallo Santavece, che davanti ai titoli accademici sciorinati dall'alienista e alla sua barba da scienziato aveva perso sicurezza, tornò a vestire i panni del carabiniere.

«Voi come fate a sapere di quel biglietto?» chiese.
Risposta scontata.
E già!, pensò il maresciallo.
Colpa sua che aveva tenuto il giovanotto nel suo ufficio mentre l'Ariosti parlava.
«Sapete che si tratta di un indizio importante per un caso peraltro ancora totalmente misterioso?» chiese.
«Certo», rispose Lombroso.
Ma il maresciallo doveva tener conto innanzitutto che gli aveva chiesto solo di mostrarglielo.
«Mi basterà un'occhiata.»
E in secondo luogo doveva tener presente che quel biglietto poteva risultare la chiave di volta del caso.
«In sostanza darvi la possibilità di risolverlo.»
«Ma va'?» fece il maresciallo.
L'alienista rispose solo con un cenno affermativo.
Il cassetto della scrivania del Santavece si aprì, il biglietto fece la sua comparsa.
Cesare Lombroso lo osservò a lungo.
Era quello.
Sollevò gli occhi sul maresciallo.
«Abbiamo l'assassino», disse.
«E chi è?» chiese il maresciallo. «Lo conoscete forse?»
«In un certo senso, sì», rispose l'alienista.
Era colui che aveva compilato quella stravagante equazione.

137.

«Ma non ha ancora un nome e un cognome», disse Cesare Lombroso.

Controvoglia.

Così come controvoglia aveva parlato sino a quel momento.

D'altronde non si era potuto esimere.

Le donne!

La loro lingua impenitente, ingovernabile, irrefrenabile!

Era stata la padrona di casa per prima a chiedere lumi.

La Carvasana, innervosita per il fatto di non capire un accidente di quello che stava succedendo e al contempo curiosa di sapere. Solo che al barbuto, e anche un po' musone, alienista non aveva osato sottoporre alcuna domanda.

Ma alla Palladino sì.

E la medium, un po' per l'amicizia e un po' per la vanità di essere l'unica che sapeva qualcosa, aveva raccontato.

Solo qualcosa, però.

Qualcosa che, anziché spiegare, aveva vieppiù confuso le idee già di per sé fosche della Carvasana.

«Solo il maestro vi può chiarire come stanno le cose», aveva concluso Eusapia Palladino di fronte all'insistenza dell'amica.

Giuditta Carvasana allora aveva deciso che era venuto il momento di prendere il toro per le corna.

«Vi pregherei di spiegarmi quello che sta succedendo nella mia casa», aveva detto a Cesare Lombroso non appena questi aveva fatto ritorno dal colloquio con il maresciallo.

Non era per curiosità, aveva mentito appena appena, e nemmeno per ficcare il naso negli affari altrui.

«Ma di ciò che accade tra queste mura devo rendere conto anche ad altri», aveva detto alludendo al Cressogno, che, dispiaciuto, aveva dovuto lasciare la villa già dal primo pomeriggio, perché non avrebbe saputo come giustificare la sua assenza da casa per un periodo più lungo.

L'alienista si era trovato con le spalle al muro.

«Non era mia intenzione essere maleducato né tenere alcuno all'oscuro di fatti che sono perlopiù incomprensibili anche per me», aveva detto.

Quindi aveva cominciato a raccontare, cercando di essere il più chiaro possibile e chiedendo all'uditorio di non fare domande poiché ciò che diceva era esattamente ciò che sapeva.

Era partito dalla prima giovane, uccisa poche settimane prima a Torino e dalle singolari coincidenze che la univano alla seconda, una fioraia trovata anche lei a Torino alcuni giorni dopo. Da una borsa che aveva con sé e che non aveva mai lasciato aveva estratto la relazione della figlia Gina, quella che gli aveva consegnato il suo amico Mantegazza.

«Le osservazioni che mia figlia ha riportato dopo l'ispezione fatta sul cadavere della seconda giovane non fanno altro che confermare che i due omicidi sono legati in qualche modo: la stessa lesione fatale, quella specie di equazione parzialmente scritta su un biglietto come fosse una pista da seguire fino alla fine.»

Una pista che peraltro lui conosceva già, poiché prima che tutto iniziasse aveva ricevuto in forma anonima la prima parte dell'equazione, se si voleva chiamarla così.

«All'inizio mi parve il delirio di un folle. Adesso invece no.»

Il Falcarotti, che stava seguendo con estrema attenzione le parole dell'alienista prendendo nota mentalmente di ogni cosa, era stato lì per interrompere.

Lombroso aveva risposto alla sua domanda senza dargli il tempo di farla.

«Adesso sono propenso a pensare che, pur nella sua insensatezza, quella specie di formula sia una sorta di pista, una mappa se vogliamo, un triste viaggio a puntate che purtroppo non sembrerebbe ancora concluso.»

«Sarebbe a dire?»

Giuditta Carvasana non si era trattenuta, intuendo il significato delle parole che aveva appena ascoltato.

Lombroso l'aveva guardata. Nel suo sguardo non c'era rimprovero per averlo interrotto. Piuttosto un dubbio: doveva dire tutto ciò che pensava?

«Sarebbe a dire che il viaggio non è ancora terminato», aveva detto poi.

«L'equazione non è completa?» era sbottato il Falcarotti.

«È ciò che ho appena detto», aveva risposto seccamente Lombroso.

«Ma allora...» aveva interloquito il Politti arrossendo subito dopo.

«Ma allora, proprio», aveva commentato l'alienista.

Se quel viaggio luttuoso non era ancora finito e la terza tappa era quella povera suorina, significava che l'omicida era lì, in quel posto, in quel paese, tra loro. O che perlomeno era stato lì, e che forse avrebbe colpito ancora.

«Come se stesse seguendo qualcuno», aveva interloquito il Falcarotti.

«Qualcuno di noi?» s'era aggiunto il Politti.

Poi gli sguardi di quasi tutti tranne quello della Palladino si erano concentrati sulla Birce.

Come mai?

Come mai durante la seduta quell'equazione o come diavolo la si volesse definire era comparsa sul tavolo? Perché la Birce? Che legame c'era tra lei e tutto quello che stava accadendo?

La giovane aveva avvertito l'attenzione concentrata su di lei, aveva chinato il capo, sottraendosi. Era stata la medium a parlare in vece sua.

«Gli spiriti non uccidono», aveva detto, attirando su di sé lo sguardo dell'alienista. «Piuttosto a volte mettono sull'avviso.»

Il Falcarotti non si era trattenuto.

«Lei sa chi è?» aveva chiesto.

La Birce, oltre che aver riportato quel messaggio di morte, l'aveva visto in faccia, forse lo conosceva, poteva dirne il nome e il cognome?

«Basta», era intervenuto l'Umberto, notando come il colore dal viso della Birce era scomparso e la ragazza fosse scossa da un tremito come se stesse montando rapidamente la febbre.

Il Falcarotti l'aveva guardato male, gli stava rompendo le uova nel paniere, in fondo non stava facendo altro che il suo lavoro.

Va be', aveva pensato, troverò il modo di farmi ripagare.

E c'era.

Eccome se c'era.

138.

Colazione nisba, pranzo così così.

La cena?

Con tutto quello che era successo le necessità dello stomaco erano passate in secondo piano. Ciascuno degli ospiti di villa Alba si ritrovò con un po' di languore gastrico.

«Vedo quello che posso fare», comunicò la Carvasana non appena terminata quella sorta di riunione.

Il problema vero era un altro però.

Nessuno aveva un'idea precisa di cosa fare.

Partire, restare, boh!

Nessuno, tranne il Falcarotti.

«C'è un modo per raggiungere Como in serata?» chiese.

A parte il fatto che la serata era già cominciata e stava avanzando a grandi passi, la domanda del giornalista strappò il primo sorriso della giornata alla Carvasana.

«Il cavallo di san Francesco», rispose.

A piedi, l'unico modo, tenendo conto che di battelli non ce n'erano più e treni neanche a parlarne.

Il Falcarotti smadonnò.

«E domani?»

L'indomani era un altro paio di maniche. Col battello, alle sei. Comodo comodo, in tre ore sarebbe arrivato a Como.

«Se non c'è altro...» sospirò.

In ogni caso non avrebbe perso tempo. Le ore della notte gli sarebbero servite per stendere un primo vibrante articolo in modo da giungere in redazione l'indomani con gran parte del lavoro fatto e con un'ESCLUSIVA che avrebbe fatto il botto.

«Ti devo parlare», disse al Politti prima che tutti insieme si sedessero a tavola per consumare una cena fatta di avanzi.

Brevemente gli disse quello che voleva da lui.

Umberto Politti cercò di sottrarsi alla richiesta.

«Se lo faccio io», ribatté il Falcarotti, «potrebbe sembrare una curiosità malsana...»

«E non lo è forse?» lo interruppe l'amico.

«No», rispose il giornalista, «è lavoro, solo lavoro.»

«Se lo dici tu.»

«Certo. E inoltre da parte tua apparirà come una richiesta sostenuta da un interesse professionale, scientifico. Non sei forse un ammiratore sfegatato di quell'uomo?»

«Sì, ma...»

«Nessun ma. E poi me lo devi. Ricordati che se non ti avessi portato qui con me non avresti mai incontrato quella ragazza.»

Il Politti fece per ribattere ancora.

«Dai!» lo interruppe il giornalista dandogli di gomito. «È andata. Vai colpisci e torna vincitore. Ti aspetto dopo, in camera, cioè... in corridoio.»

139.

Tre ore e qualche minuto.
Una notte insonne alle spalle.
Una discreta fame visto che il giorno prima aveva sì e no sbocconcellato qualcosa.
Neanche il tempo di farsi la barba, e tutto per cosa?
Per arrivare trafelato in redazione e trovarsi faccia a faccia con il caporedattore che, anziché rispondere al suo saluto, gli chiese: «Dove diavolo sei stato?».
Il Falcarotti si preparò alla sorpresa di quello non appena avesse sentito da dove veniva, Bellano.
«Bellano!» disse trionfalmente.
La sorpresa tardava a fiorire sul viso del caporedattore.
«Ti spiacerebbe ripetere?» disse poi.
«Bel-la-no.»
La risposta fu uno scuotere di testa. Poi il caporedattore prese un giornale dalla mazzetta che aveva sul tavolo.
«Lo conosci?» chiese.
Come no. Era una copia de «L'Italia del Popolo», il quotidiano fondato da Dario Papa.
«E allora?» chiese il Falcarotti.
«Leggi un po'», consigliò il caporedattore.
«L'Italia del Popolo» prediligeva, alla cronaca tout court, la politica, la prima pagina in genere ne era totalmente occupata. Ma un fatto come quello accaduto alla stazione di Vercelli aveva acquisito il diritto a due colonne piene di lato ai soliti titoli.
Che un treno fosse stato teatro di un cruento tentativo

di aggressione finito con la morte accidentale dell'aggressore a causa di un martelletto che gli si era impiantato al centro della fronte non era certo cosa di tutti i giorni.

Il Falcarotti, sudato, levò gli occhi dal foglio.

«Leggi, leggi», consigliò il caporedattore.

Perché l'articolista, evidentemente molto ben ammanicato con ferrovieri e investigatori locali, aveva insaporito il pezzo con gustosi particolari, come il resoconto delle due donne che erano in compagnia dell'aggredita, il fatto che nelle valigie dell'aggressore fosse stata rinvenuta una ricca collezione di rocce e un flacone di cloroformio, che nelle sue tasche fosse stato trovato un biglietto con schizzata una formula matematica, forse un'equazione?, dall'oscuro significato e soprattutto che il giovane di nome Erinio Trapani come da documento conservato nella tasca interna della giacca fosse originario di Torino, verso dove era diretto, proveniente, come da biglietto ferroviario conservato nel portafoglio, da...

«Hai visto da dove veniva?» chiese il caporedattore.

Bellano, compitò il Falcarotti.

«Proprio», sorrise il caporedattore.

... proprio da quel paesino situato sulla riva orientale del lago di Como, aveva proseguito l'articolista de «L'Italia», dove il giorno precedente, secondo quanto riferito dagli attivissimi reali carabinieri che si stavano occupando delle indagini, si era verificato un fatto altrettanto grave purtroppo conclusosi con la morte di una religiosa, tal suor Celestina...

«Proprio», ripeté il caporedattore.

Proprio dal posto dove lui aveva dichiarato di essere stato, a fare non si sa diavolo cosa, certo non a fare quello per cui il giornale lo pagava, cioè il giornalista, visto che mentre un assassino aggrediva una suora lui era bellamente occupato in faccende molto più importanti, con evidenza.

«Ragione per la quale ci è toccato mandare su un altro questa mattina...»

«E avete fatto male!» lo interruppe il Falcarotti.

«Dici?»

«Certo. Io so tutto», affermò il Falcarotti.

Tutto, e anche qualcosa di più.

I fatti e la loro interpretazione.

Parola di Cesare Lombroso.

Cioè, parola di Umberto Politti che, per conto suo, spinto a farlo da lui, la sera precedente aveva intrattenuto l'alienista in una lunga conversazione grazie alla quale un comportamento apparentemente folle si spiegava mediante le nuove conquiste della scienza criminologica.

Il Falcarotti estrasse dalla tasca della giacca un foglio sul quale nottetempo aveva preso nota di ciò che il Politti gli aveva riferito.

«Posso?» chiese.

«Sentiamo», rispose il caporedattore.

Il Falcarotti pregò tra sé di non inciampare troppo nell'esposizione.

Aveva qualche appunto, è vero, ma scritto in fretta e furia e male, e alla luce incerta di un moccio di candela, inginocchiato nel corridoio di villa Alba, mentre il Politti, più che dettare, raccontava del suo colloquio con l'alienista, usando spesso termini ignoti di cui, a richiesta, aveva fornito spiegazioni altrettanto criptiche.

D'altronde ormai c'era, era in ballo e gli toccava ballare.

O la va o la spacca, rifletté.

E cominciò.

140.

«Stimatissimo professore...»

Banalissimo attacco.

D'altronde, di meglio l'Umberto non aveva saputo trovare.

Il tono però, quello sì, l'aveva indovinato.

Perché aveva immaginato di parlare, anziché con Cesare Lombroso, con la Birce.

Mia carissima Birce...

«Ditemi», aveva quindi risposto di buon grado l'alienista ascoltando la sua richiesta: avere ulteriori delucidazioni su ciò che era successo nel corso delle ultime ore.

«È che voi, maestro, sapete comprendere meglio di chiunque altro», aveva detto il Politti.

«Niente accade per caso nella mente umana», aveva risposto l'alienista, elencando poi causa ed effetto di ciò che era accaduto.

«Può sembrare incredibile...»

Il Politti l'aveva interrotto.

«No», aveva affermato. «Perlomeno non a me.»

Dopodiché gli aveva confessato la sua sconfinata ammirazione. Stava dalla sua parte, era affascinato dalle sue idee, aveva letto tutto ciò che aveva scritto e pubblicato, ambiva diventare un suo seguace.

«Niente di più facile», aveva risposto Cesare Lombroso.

La disciplina che aveva fondato però voleva dedizione assoluta, quasi monacale.

«E presenza sul posto.»

«Sul posto?» aveva chiesto l'Umberto.
«Torino», aveva chiarito Lombroso.
Il centro dei suoi studi e dei suoi insegnamenti, la fonte cui gli adepti si abbeveravano.
«Torino...» aveva mormorato il Politti.
E la Birce?
L'aveva solo pensato.
«Se volete vi aspetto», aveva aggiunto l'alienista. «Anche domani.»
«Domani...» aveva mormorato ancora l'Umberto.
Be', ci avrebbe pensato.
Ma non aveva osato dirlo.
«Cosa mi dite?» aveva chiesto l'alienista.
Lui e la sua scuola avevano bisogno di nuove leve, di entusiasmo, di gioventù.
«Sapete...» aveva poi aggiunto.
Quella nuova scienza era come una giovane, bella donna che voleva amore, tanto, tutto per lei!
Nella sua mente quella scienza, quella giovane, bella donna che voleva l'amore tutto per sé aveva il viso della Birce.

141.

«Niente accade per caso nella mente umana», attaccò il Falcarotti, «tutto ha una sua logica, anche se a volte perversa, indecifrabile. Ma ci sono ormai gli strumenti per capire.»

«Ah sì?» fece il caporedattore.

«Certo.»

«Sentiamo allora. Illuminami!»

Il Falcarotti sorvolò.

«I colpi, per esempio.»

Quei colpi che avevano ucciso le tre donne e che avrebbero dovuto ucciderne una quarta.

«Non sono stati menati a caso. Bensì in un'area ben precisa del cranio delle poverette.»

Parliamo di quella corrispondente al sito corticale dove sorgono i desideri sessuali. L'aveva stabilito un certo... un certo...

Il Falcarotti consultò un istante i suoi appunti.

«Biagio Miraglia», affermò quindi, «psichiatra, poeta nonché patriota italiano.»

Alla luce della nuova corrente di pensiero scientifico il cui fondatore era Cesare Lombroso ciò permetteva di non considerare il Trapani un assassino tout court, sic et simpliciter, ma disegnava un'aura di malattia attorno al suo agire.

«Vorresti dire...» interloquì il caporedattore.

«No», rispose immediatamente il Falcarotti, intuendo dove quello volesse andare a parare.

Non giustificava le sue azioni ma poneva l'uomo moderno in una posizione diversa rispetto a quella del passato nei confronti di quelle.

«Un assassino classico agisce spinto da motivi di bieco interesse», spiegò il Falcarotti.

Mentre un assassino del tipo di Erinio Trapani agiva ubbidendo alle torbide spinte di uno spirito ammalato, di un'anima che probabilmente era afflitta sin dai primi anni dell'infanzia. Se conoscere i motivi di un assassino giustificava la sua condanna, nel caso in questione, e in altri simili a questo, la conoscenza dell'agire doveva stimolare la ricerca di una cura, poiché di malattia si trattava e non di puro istinto criminale.

«Il Miraglia stesso...» stava proseguendo il Falcarotti.

Voleva dire che il Miraglia stesso, ben prima di Cesare Lombroso, aveva compreso che in certi soggetti comportamenti anche abominevoli erano dettati da un pensiero malato di cui non potevano essere ritenuti responsabili, tanto che nel suo manicomio aveva abolito ogni tipo di metodo coercitivo per curarli passando invece all'uso del lavoro o addirittura del teatro per migliorare lo stato della loro salute mentale.

Ma lo sapeva o no il caporedattore che addirittura il grande Alexandre Dumas, padre, era rimasto allibito assistendo a uno di questi spettacoli teatrali e...

Ma il caporedattore lo fermò con un gesto della mano.

«Fammi pensare un momento», disse.

Giovava al giornale cavalcare una tesi del genere?

O piuttosto non avrebbe sollevato indignazione e protesta, facendo sembrare loro giornalisti i difensori di una efferata serie di crimini?

«Non credo che ci faccia gioco sposare una tesi del genere», disse quindi.

Il Falcarotti corrugò la fronte.

«Così ci neghiamo al nuovo che avanza», obiettò.

«Non ne dubito», rispose il caporedattore. «Al nuovo

che avanza, ma non al continuare la carriera di giornalisti. Perché è questo quello che succederà: se il giornale dovesse perdere lettori o ricevere valanghe di proteste sarà il direttore in persona a mandarci via con un bel calcio in culo.»

La gente, spiegò il caporedattore, non era ancora pronta a concepire quella che il Falcarotti aveva chiamato la «scienza dell'anima».

«Una piccola parte, sì, un'élite», affermò.

Che era poi quella parte che non leggeva il loro giornale, intellettuali che preferivano leggere cose che capivano solo loro.

«La michetta ce la dà il popolo.»

E il popolo alle balle preferiva i fatti.

«E se ci fosse un fatto?» buttò lì il Falcarotti.

Un fatto concreto, qualcosa che soddisfacesse una tal fame, come una michetta quando si aveva lo stomaco vuoto?

«Quale fatto?» chiese il caporedattore.

«Boh!» rispose il Falcarotti.

«E allora?»

«Ma se ci fosse...»

Il caporedattore allargò le braccia.

«Tu portamelo dopodiché vedremo.»

142.

Fu il Politti a occuparsi di acquistare il pane per la colazione degli ospiti di villa Alba, ormai sapeva fin troppo bene dove stava il forno.

Non uscì all'alba come la mattina precedente, giusto un paio d'ore più tardi e giusto per trovarsi in mezzo a un paese pressoché totalmente riversatosi in strada per commentare il tragico fatto del giorno prima. Una volta entrato nel vecchio nucleo del paese e imboccata la contrada maggiore il brusio alle sue orecchie si fece più intenso tanto quanto indecifrabile. Coglieva qua e là frasi smozzicate, segmenti privi di senso che gli sembravano voci che non provenissero da esseri umani ma suoni che si generavano da muri e sassi oppure provenissero da chissà dove.

Come quelle che aveva udito la sera della seduta, alla quale continuava a ritornare col pensiero.

Ben altra voce invece fu quella del pizzicagnolo che aveva aperto bottega da un paio di ore e nonostante ciò aveva il locale strapieno poiché sia lui sia la moglie non facevano altro che raccontare il fatto di cui erano stati protagonisti il giorno prima, avendo dato ricovero alla giovane che per prima si era imbattuta nella povera suorina.

Per un malinteso senso delle convenienze, l'Umberto accettò l'invito dell'uomo a entrare nella sua bottega e pure quello ad assaggiare, benché non ne avesse la minima voglia, un tocchetto di formaggio magro che proveniva da una delle tante casere sparse sulla montagna alle spalle del paese.

Nell'attesa del pane, Cesare Lombroso aveva preparato i suoi scarni bagagli: c'era un comodo treno alle quattordici che l'avrebbe portato a Milano e poi da lì di corsa a Torino. Nel frattempo però doveva assolutamente fare una cosa, avvisare con telegramma urgente l'amico Ottolenghi del suo arrivo in giornata e della necessità di vederlo immediatamente per un confronto alla luce di quanto accaduto.

«L'ufficio postale?» chiese.

«È nello stesso edificio del palazzo comunale», gli spiegò la Carvasana.

Be', ma se ne aveva bisogno poteva dare incarico al Politti che era uscito da poco e si sarebbe risparmiato un bel pezzo di strada tra andare e tornare.

«Vi ringrazio», rispose l'alienista.

Due passi però, aggiunse, gli avrebbero fatto bene, schiarito certe idee, ordinato i pensieri che erano un po' in subbuglio.

«Viste le sorprese di queste ultime ore», scherzò.

Sorprese che peraltro non erano ancora finite.

143.

Eusapia Palladino, non appena uscito l'alienista, approfittò del fatto di essere rimasta sola nella cucina insieme con la Carvasana per parlarle in tutta privatezza.

«La Birce», disse per entrare in argomento.

Giuditta si guardò intorno anziché rispondere a parole: la Birce era di sopra, si stava occupando delle camere. Insomma, aveva ripreso a fare il lavoro per il quale era entrata in casa sua.

Un lavoro che non era esattamente quello per cui era venuta al mondo.

«Lo so», rispose la Carvasana. «È per questa ragione che la rimanderò a casa nel giro di un paio di giorni.»

Non solo.

Con tutto quello che era successo nell'arco di poche ore, non se la sentiva di restare sola soletta in quella villa immensa una volta che tutti i suoi ospiti se ne fossero andati. Per cui, congedati i partecipanti alla seduta spiritica e rinviata al mittente la Birce, sarebbe partita anche lei, destinazione mare, riviera ligure probabilmente. Non poteva nemmeno escludere che avrebbe detto al Cressogno di trovarle un'altra sistemazione sul lago, lontano da villa Alba e da Bellano.

«Datela a me», sbottò la Palladino.

«La villa?» chiese la Carvasana.

«Ma no», chiarì la medium, «la ragazza.»

«Volete la Birce?»

Perché no?

«L'avete vista anche voi all'opera», disse la Palladino.
Una vera forza della natura.
Una potenza.
Un'energia che sarebbe stato peccato mortale disperdere, immiserire, umiliare non permettendole di esprimersi come invece necessitava.
«Penso che noi due assieme potremmo compiere miracoli», disse la medium non senza una certa emozione.
La Carvasana restò qualche istante soprappensiero.
«Non saprei cosa dire», fece poi.
Tuttavia le sembrava che una cosa del genere non toccasse a lei deciderla. La Birce non era un oggetto che si poteva spostare qua e là, a piacimento.
«Non credete che dovrebbe essere lei a decidere per il sì o per il no?» chiese.
«Lei oppure chi l'ha messa al mondo», ribatté la medium.
Se non lei, forse loro avrebbero compreso che stava offrendo alla giovane l'occasione per entrare nella vita che il destino le aveva assegnato e che dicendo addio al presente non faceva altro che aprire le porte al suo futuro.
"Sempre che ne valga la pena", mormorò tra sé la padrona di casa pensando alla vita che la Birce aveva condotto prima di entrare a villa Alba, immaginandola serena e tranquilla come invece non era mai stata.

144.

Se non per la Birce, almeno per gli altri il momento degli addii era arrivato.

Addio formale, professorale, austero da parte di Cesare Lombroso, tornato dalla visita all'ufficio postale, che non vedeva l'ora di arrivare a Torino e trovarsi con l'Ottolenghi per discutere di tutta la vicenda, tracciare un profilo definitivo dell'assassino che sarebbe stato utile alla polizia per individuarlo e finalmente fermarlo. Dopodiché non sarebbe scappato anche alle sue di indagini e gli avrebbe dato ulteriori motivi per corroborare le sue tesi su certa criminalità e sui segni che potevano aiutare a prevenirla.

Addio mieloso, quasi umido di lacrime trattenute, interrogativo invece da parte dell'Umberto Politti che era tornato con il pane per la colazione quando ormai non serviva più. Il pizzicagnolo, grazie all'offerta di assaggi di questo e quel formaggio era riuscito a trattenerlo nella sua bottega per quasi un'ora raccontando al pubblico dei presenti la scena di cui era stato protagonista cui andava aggiungendo, di versione in versione, sempre nuovi particolari, aiutato in ciò dalla moglie che pur non avendo assistito pareva saperne più dello stesso marito. Il Politti, stretto tra i clienti curiosi, non aveva avuto l'ardire di mollare la compagnia e andarsene e infine era rimasto attonito e anche affascinato di come un fatto così cruento potesse eccitare la curiosità divertita della gente: un argomento che, aveva pensato, gli avrebbe permesso interessanti speculazioni parlando con il suo idolo.

Una volta rientrato a villa Alba aveva preso coscienza che la sua breve vacanza in quel luogo era finita.

Dalla Palladino aveva appreso che sarebbe ripartita il giorno seguente, il Falcarotti era già a Como, Cesare Lombroso aveva già lo scarso bagaglio pronto, non aspettava altro che l'ora per recarsi in stazione.

E lui?

«Se non vi disturba prenderei il vostro stesso treno sino a Lecco», disse all'alienista.

Poi, con tanti saluti, avrebbe preso la corrispondenza per Como.

L'alienista non rispose nemmeno: forse che il treno era di sua esclusiva proprietà?

Quindi, giunta l'ora e dopo aver consumato un pranzo veloce tutti assieme, passò a ringraziare e salutare la sua ospite.

Di proposito aveva lasciato la Birce per ultima.

La salutò tremando interiormente e non riuscendo a evitare un tono interrogativo.

«Addio?» disse infatti riuscendo finalmente a guardarla negli occhi.

145.

Il procaccia suonò al portone di villa Alba quando mancava un quarto d'ora circa alle quattordici. Lombroso era partito alla volta della stazione seguito dal Politti che aveva insistito per portargli la borsa.

Il procaccia suonò quindi, e risuonò.

E poi gridò.

Aveva un telegramma urgente da consegnare e aveva voluto farlo lui stesso.

Mica aveva la stessa premura per tutte le altre consegne benché urgentissime. Tuttavia in quel caso, visto che il telegramma era diretto a uno degli occupanti di villa Alba, c'era da scommettere che la sua sollecitudine sarebbe stata premiata con una bella mancia che avrebbe contribuito a ravvivare il color rosso vinaccia del naso.

Fu la Carvasana a dirgli che il professor Cesare Lombroso non c'era, era già partito, che in quel momento probabilmente si trovava già in stazione in attesa del treno che l'avrebbe portato a Milano. Il procaccia fu lì per ribattere che era cosa che non lo riguardava: mica era obbligato a correre dietro ai destinatari di lettere e telegrammi. Ma si bloccò quando, dopo avergli detto di attendere un momento, vide la padrona di casa ritornare per allungargli una moneta.

«Fatemi la cortesia di correre in stazione, dovreste riuscire a consegnarglielo. Potrebbe essere una cosa importante.»

Uno più uno, due, calcolò il procaccia e volò per quanto poteva alla riscossione della seconda mancia che ricevette quando consegnò il messaggio all'uomo barbuto che, come da descrizione della Carvasana, in compagnia di un impeccabile giovanotto stava aspettando l'arrivo del treno.

L'alienista fu lì per aprire subito il telegramma, venne interrotto dallo spegnersi della campanella che annunciava l'arrivo del treno. Lo fece subito dopo aver preso posto in una carrozza di seconda classe odorosa di sudore e letame.

Lo lesse d'un fiato, non era ancora giunto a Varenna e già l'aveva riletto un paio di volte.

Be', non aveva certo lesinato sul denaro il suo amico Ottolenghi, non aveva mai visto un telegramma così lungo, quasi fosse una lettera, che come tale finiva con il saluto della figlia Gina.

Ma ne era valsa la pena, soldi davvero spesi bene.

146.

Alla Gina, occhio di lince e orecchie sempre all'erta, non era sfuggito. Nel crepuscolo della sera torinese, affacciata alla finestra della sala a cercare il refrigerio di un bicchiere di aria fresca, aveva sentito il grido dello strillone e non aveva avuto esitazioni: quando aveva sentito gridare di un'aggressione sul treno Milano-Torino, quando aveva sentito lo strillone recitare il titolo dell'edizione serale del «Corriere della Sera» – «Giovane donna afferma: Voleva uccidermi» –, era volata ad acquistare una copia del quotidiano e anziché tornare in casa per leggerlo era filata immediatamente dall'Ottolenghi.

La notizia in sé era poca cosa, insufficiente a placare la fame morbosa di una certa schiera di lettori. Ma per i due conteneva elementi più che bastevoli per alimentare certi sospetti e soprattutto per convincere l'Ottolenghi a partire alla volta di Vercelli in compagnia del commissario Alietta che da tempo seguiva con interesse i suoi studi criminologici.

La presenza dell'Alietta gli aveva garantito una pressoché completa libertà di movimento e soprattutto gli aveva permesso di realizzare lo scopo del sopralluogo: dare un'occhiata al cadavere del presunto assassino, ispezionarne il corpo e frugare nelle tasche dei suoi abiti.

L'aveva trovata, a conferma del sospetto che l'aveva portato fino a Vercelli.

L'equazione, o quello che era.

Intera, o almeno così pareva essere.

In ogni caso, intera o no che fosse, per il momento finiva tutto lì.

«È lui», aveva detto all'Alietta, parlando con un altro individuo che non fossero Lombroso o la figlia di tutti i piccoli indizi che aveva raccattato nel corso di quelle settimane.

Poi aveva voluto dare un'occhiata al cadavere. L'Alietta si era allontanato per parlare con i colleghi vercellesi e a un paio di giornalisti che piantonavano la stazione.

Così era rimasto solo e non aveva potuto condividere con alcuno l'entusiasmo, se così lo poteva definire, per l'ulteriore scoperta fatta ispezionando il cadavere.

Una sorpresa.

Una vera sorpresa, per lui e per Cesare Lombroso quando lesse una, due, tre volte il telegramma di circa cinquecento parole con il quale l'amico Ottolenghi l'aveva informato di tutto e soprattutto di quella cosa lì.

147.

«Una bomba!» disse il Falcarotti.

«La fai scoppiare qui, in redazione?» chiese il caporedattore.

«Immediatamente», rispose l'Ederardo.

Perché aveva fretta.

Doveva farlo prima che chiudesse il giornale.

«Sentiamo», disse il caporedattore.

«Infantilismo genitale!» sparò il Falcarotti.

«Che cosa?» fece l'altro.

Il Falcarotti sorrise.

Ignorante!

Come lui, d'altra parte, prima che Umberto Politti un paio d'ore prima, dopo essere finalmente giunto a Como e averlo cercato per riferirgli la novità, gli spiegasse in cosa consisteva l'infantilismo genitale e quali conseguenze aveva avuto, secondo quanto l'alienista gli aveva spiegato durante il tragitto in treno fino a Lecco, sullo sviluppo psichico del Trapani.

«Infantilismo...» specificò di nuovo l'Ederardo «...genitale.»

Organi genitali infantili.

Distribuzione pilifera non corrispondente a quella di un adulto.

Proporzioni scheletriche eunucoidi.

«Condizione fisica dalla quale in vita potevano derivare...» proseguì il Falcarotti.

Tono di voce elevato.

Deficit erettivo.
Libido diminuita.
«Il che ha posto il soggetto in uno stato di inferiorità non solo fisica ma anche psichica nei confronti dei suoi simili, confronto che si può supporre avvenisse quotidianamente essendo lo stesso uno studente della facoltà di geologia...»
E si sapeva quanto la goliardia studentesca amasse i riferimenti più o meno espliciti alla pratica sessuale.
«...creando in lui un substrato di odio verso il sesso femminile alimentato dalla necessità di dover sostenere la commedia con amici e conoscenti.»
Con tutta evidenza quando la misura aveva raggiunto il punto di saturazione, la situazione era degenerata, da cui gli omicidi.
«Abbiamo i fatti», dichiarò il Falcarotti, «e la loro interpretazione data non da un qualunque medicastro ma nientemeno che dal fondatore di una nuova scienza, il professor Cesare Lombroso.»
Fatti che potevano essere già noti.
«L'interpretazione invece sarà una nostra esclusiva», affermò il Falcarotti.
Il caporedattore si grattò la testa, c'era ancora qualcosa che non gli tornava.
Ah, ecco...
«Quel bigliettino che gli hanno trovato addosso?» chiese.
L'equazione, o qualunque cosa fosse?
«Niente», rispose il Falcarotti. «Una specie di messaggio, come se fosse una caccia al tesoro.»
Una cosa tipo, trovatemi se siete capaci.
«Una sfida», aggiunse l'Ederardo.
Quando uno non ci stava più con la zucca...

Chi l'avrebbe mai detto
Epiloghi

I

Il pescatore Minutoli non l'avrebbe mai detto, ma a villa Alba le persiane delle camere avevano ricominciato a restare chiuse. Una sola aperta, quella della padrona di casa.

Per poco ancora, anche se il Minutoli non lo poteva immaginare. Per farlo avrebbe dovuto essere dentro la testa della Carvasana e conoscerne i progetti, che prevedevano di allontanarsi per un po' dal luogo dove aveva vissuto tante emozioni e non certo del tutto positive.

Il Cressogno le era andato in aiuto. Il Cressogno o il destino, che sulla via dell'impresario aveva messo una trasferta in Egitto allo scopo di concludere contratti: poiché sua moglie non amava i viaggi e men che meno trovarsi al caldo e in un paese a suo dire ostile, il Cressogno aveva proposto a Giuditta di accompagnarlo.

Giuditta si era detta pronta, le restava una sola cosa da fare, accompagnare la Birce a casa sua.

Era stato il rettore del santuario a chiederle di salire di persona con la giovane: la Serpe e l'Arcadio l'avrebbero vista volentieri e altrettanto avrebbero ascoltato le sue parole rassicuranti sull'accaduto, dopo che tante voci erano giunte alle loro orecchie, nonostante la sua azione di vigilanza.

«Ho fatto in modo che non scendessero a Bellano per evitare di esporli alla curiosità di tutti e ho cercato di tenerli fuori dalle chiacchiere, ma...» aveva scritto in un biglietto diretto alla Carvasana.

Giuditta era salita a Lezzeno il giorno dopo il funerale di suor Celestina, avvenuto nel più assoluto silenzio, anche perché la salma era stata trasportata nottetempo verso Castelmarte, paese di nascita della religiosa e laggiù tumulata dopo una rapida cerimonia. Eusapia Palladino avrebbe voluto aggregarsi alla compagnia per sostenere la sua richiesta di fare della Birce una sorta di aiuto medium, viste le qualità.

La Carvasana però, dopo averci riflettuto, l'aveva sconsigliata.

«L'ambiente», le aveva detto.

L'ambiente del santuario era quanto di meno «spiritico» si poteva immaginare. Le sue idee, le sue parole, in quel posto, avrebbero potuto essere confuse con stregonerie e così si sarebbe giocata la possibilità di ottenere ciò che voleva.

«Il rettore poi...»

Lei lo conosceva bene.

Se quello ci avesse messo il becco, poteva dire addio ai suoi sogni di gloria!

Giuditta aveva finto e mentito così bene che la Palladino c'era cascata e non aveva più insistito.

Così, una volta giunta in rettorato e poi a casa della Serpe e dell'Arcadio, aveva potuto evitare di fare anche mezza parola circa la richiesta della medium, restituendo la Birce alla vita che aveva fatto fino a pochi giorni prima.

Certo, se avesse potuto avrebbe fatto qualcosa di più per quella giovane: le dispiaceva l'idea che un così bel fiore dovesse invecchiare e imbruttirsi occupandosi di galline e poco altro.

Aveva lasciato Lezzeno, destinazione Egitto, con un certo peso nel cuore e il proposito di fare qualcosa per la Birce non appena fosse ritornata.

Non poteva certo immaginare di non essere l'unica a preoccuparsi del futuro della giovane.

Anche perché il futuro della Birce era il suo.

II

Chi l'avrebbe mai detto che Umberto Politti si sarebbe trovato in una situazione simile? Forse lui stesso per ultimo. Tornato a casa a Como, presenti i genitori, pure loro tornati al nido dopo la parentesi marina.

Tanto rilassati loro, quanto nervoso lui.

Introverso, cupo, sfuggente.

«Ma cos'hai?» gli chiedeva sua madre.

L'Umberto non rispondeva nemmeno. Scontroso e taciturno anche con la vicina Albarella Defedè.

Prima di parlare doveva capire come fosse meglio agire. Partire alla volta di Lezzeno e chiedere la mano della Birce oppure avvisare prima i genitori che stava per compiere un passo di tal fatta?

E se lei gli avesse detto no?

E se il no glielo avessero detto i genitori?

Era stato il Falcarotti a risolvergli i dubbi, durante una conversazione serale bagnata da numerosi elixir Volta.

«Vai», gli aveva detto, «e torna vittorioso!»

Ma subito, col primo battello o treno che lo portasse verso Bellano, senza ripensamenti.

«Senza nemmeno tornare a casa questa notte», aveva aggiunto l'Ederardo, «perché l'atmosfera domestica ipnotizza e mammina e paparino saprebbero come ricattarti per farti cambiare idea!»

L'Umberto aveva accettato e non del tutto sobrio era partito in missione all'alba, raggiungendo Lezzeno in tarda mattinata e andando a bussare, in cerca di informazioni, alla porta di casa della Perseghèta che non l'aveva fatto entrare.

«Mica per essere villana neh!» aveva specificato la donna.

Ma è che c'era traffico in casa, faceva San Martino.

Suo marito infatti aveva perso ben tre dita lavorando in mina e bla bla bla e poi ne aveva perso un quarto affettando un salame e bla bla bla e allora il rettore del santuario, cara persona neh!, e bla bla bla, s'era impegnato a trovargli un posto di lavoro che bla bla bla e infine era saltato fuori un posto di custode di un fratello di un certo monsignore che bla bla bla, un posto che anche se gli mancava un braccio suo marito poteva comunque lavorare e bla bla bla...

Il Politti era stato a sentirla fino a che alla Perseghèta era mancato il fiato e poi aveva ribadito la richiesta.

Una volta trovata la casa della sua amata e rivisto la Birce, aveva compreso che avrebbe fatto di tutto pur di sposarla e tenerla con sé, anche sopportare ancora l'ignorante vanità dell'Armandola, su al Santa Geraldina. Solo per un po', beninteso, perché il fascino degli studi lombrosiani non si era spento. La storia non era mica finita.

III

Chi l'avrebbe mai detto che quel...

Eusapia Palladino, dopo aver preso visione della lettera, non riusciva a trovare la parola adatta per qualificare il Chiaia nipote, il Massimino, firmatario della stessa. Nemmeno riusciva a capire se valesse la pena rispondergli, usando il suo stesso dialetto affinché la capisse bene e una volta per sempre.

Caro 'nfamòne?

O schifùso?

Scrianzàto?

'Nzìsto?

Buriùso?

O forse tutte le cose insieme?

Di fatto non riusciva a rendersi conto di come quello avesse potuto scriverle una lettera in cui si dichiarava 'nnammùrato pèrzo 'e lei e della sua intelligenza, dicendosi disposto a quassi còsa pur di poterla incontrare, parlarle, spiegarle i suoi progetti per il loro futuro.

Ma cà futuro e futuro!

Chilla 'mmerd' 'e omo non aveva capito che lei non era un fenomeno da baraccone e non avrebbe mai accettato le sue proposte. Aveva troppo rispetto delle proprie doti di cui aveva trovato conferma durante le giornate passate a villa Alba dalla sua amica Carvasana.

Come poteva pensare che lei cadesse nella trappola, che credesse anche per un solo istante alle sue parole?

'Nnammùrato pèrzo, sì!

L'andasse a dire a qualcun'altra.

Rispondergli?, si chiese la Palladino. Non ne valeva la pena. O forse sì, rifletté quando le venne in mente un proverbio che aveva sentito qualche volta dal Chiaia stesso.

A 'nu parmo da 'o cùlo mìo fotta chi vò.

IV

Chi l'avrebbe mai detto che certe strane coincidenze potessero verificarsi davvero?

La mattina del 30 settembre Cesare Lombroso stava lavorando nel suo studio sul materiale che era andato accumulando al fine di compilare uno studio sugli anarchici.

La figlia Gina era uscita, un po' di spesa e un appuntamento con l'Ottolenghi cui doveva consegnare una busta e dal quale doveva prendere altro materiale che serviva al padre per il trattato che stava ideando.

Quando suonarono alla porta fu tentato di non alzarsi, non rispondere, fingere che in casa non ci fosse nessuno. Si obbligò a farlo ricordando le raccomandazioni della Gina che, spesso, quando aveva molte commissioni da fare, chiedeva a questo o quel negoziante di portarle a casa la spesa.

Era il postino.

Forse che non c'era un'apposita cassetta per le lettere?, fu il pensiero inespresso dell'alienista.

Era il caso di disturbare chi stava lavorando solo per consegnare...

«Consegna postale espressa», disse il postino come se gli avesse letto nel pensiero e volesse spiegare il perché della scampanellata.

Due lettere, che coincidenza!

Una sola però espressa.

Lombroso ringraziò, chiuse la porta, fece un passo nel corridoio, poggiò le due buste sul ripiano di una specchiera che stava sul lato del corridoio poco oltre l'ingresso.

Si guardò, sistemò il nodo della cravatta.

La prima lettera gli strappò un sorriso.

«Ammirato maestro...»

Umberto Politti annunciava le sue prossime nozze con Birce Diotti. Insieme con lei, scriveva il giovanotto, lui era la seconda persona la cui conoscenza gli aveva cambiato la vita e il modo di guardarla.

Scosse il capo anche un po'... sì, anche un poco commosso.

Poi aprì la seconda busta.

«Venerato imbroglione...»

Lombroso guardò allo specchio, poi tornò a leggere.

«Vi pare possibile che un uomo morto, un uomo ucciso con la stessa arma con la quale ha ucciso possa adesso scrivervi per cercare di salvarvi dal mare delle vostre fandonie?»

L'alienista girò il foglio, corse con gli occhi alla firma che non c'era, però...

«Frettoloso come in tutto ciò che fate e che pretendete di spiegare avete voluto subito correre alla conclusione. Eccovela! O vi aspettavate forse che fosse sparita, morta col giovane geologo?»

$$x'(t) = Ax(t) - Bx(t)y(t) \qquad A>0 \quad B>0$$

«Sorpreso? Non mi meraviglia. Non avete l'occhio abbastanza lungo nonostante la pretesa di guardare nelle tenebre dell'animo umano. E non vedete ciò che avete sotto gli occhi. O credevate davvero che un povero idiota, un essere manipolabile come cera potesse fare tutto ciò che vi è sfilato sotto gli occhi?

E questo è niente, caro il mio alienista!

A-LIE-NI-STA!

Che parolona!

Povero matematico quale sono, tremo quasi al sol pensiero di pronunciarla.

Addio, mio caro amico.

Ma cosa dico?

Arrivederci.»

Cesare Lombroso staccò gli occhi dal foglio e si vide, pallido, allo specchio. La sua mano salì a percorrere la fronte, ad accarezzare quasi quella ruga, quella piccola ruga che dall'angolo esterno dell'orbita giungeva sin verso l'attacco dell'orecchio: la ruga del cretino.

Subito la spianò e appallottolò la lettera mettendosela in tasca, attonito.

Il primo pensiero andò a sua figlia Gina.

Sarebbe stato meglio non sapesse che la storia non era ancora finita.

Andrea Vitali

UNA FINESTRA VISTALAGO

Di Arrigoni Giuseppe ce ne sono tanti a Bellano, un paese del lago di Como. Impossibile conoscerli tutti. Anche nella vita di Eraldo Bonomi, operaio tessile del locale cotonificio, ce ne sono troppi. E sarà proprio un Arrigoni Giuseppe a segnare il suo destino, dove brillano l'amore per la bella Elena e la militanza politica nel PSIUP. Il colpo di fulmine per Elena fa del Bonomi un uomo pericoloso, che sfiora segreti, scopre altarini, esuma scheletri sapientemente nascosti negli armadi di una provincia che sembra monotona, in quei paesi dove l'omonimia può essere fonte di equivoci ma anche, a volte, il viatico verso la libertà.

Andrea Vitali

LA FIGLIA DEL PODESTÀ

Bellano è in gran subbuglio. Con apposita delibera, Agostino Meccia, l'autorevole podestà della cittadina affacciata sul lago, ha deciso di perseguire un progetto assai moderno e ambizioso: una linea di idrovolanti che collegherà Como, Bellano e Lugano, e darà lustro alla sua amministrazione, attirerà frotte di turisti e farà schiattare d'invidia i comuni limitrofi. Tutto sembra filare liscio, in quel placido e fascistissimo 1931. Anche se c'è un problema: per le casse di un piccolo comune l'investimento sarà enorme, e oltretutto l'idrovolante dovrà essere debitamente collaudato. E poi Renata, la figlia del podestà: fino a ieri era solo una bambina, ora è diventata così strana, non avrà mica qualche nuovo capriccio?

Dal catalogo
Garzanti

Andrea Vitali

LA MODISTA

Nella notte hanno tentato un furto in comune, ma la guardia Firmato Bicicli non ha visto nulla. Invece, quando al gruppetto dei curiosi accorsi davanti al municipio s'avvicina Anna Montani, il maresciallo Accadi la vede, eccome: un vestito di cotonina leggera e lì sotto pienezze e avvallamenti da far venire l'acquolina in bocca. Da quel giorno Bicicli avrà un solo pensiero: acciuffare i ladri che l'hanno messo in ridicolo e che continuano a colpire indisturbati. Anche il maresciallo Accadi, da poco comandante della locale stazione dei carabinieri, da quel momento ha un'idea fissa. Ma intorno alla bella modista e al suo segreto ronzano altri mosconi: per primo Romeo Gargassa, che ha fatto i soldi con il mercato nero durante la guerra e ora continua i suoi loschi traffici; e anche il giovane Eugenio Pochezza, erede della benestante signora Eutrice nonché corrispondente locale della «Provincia».

Dal catalogo
Garzanti

Andrea Vitali

IL MECCANICO LANDRU

In un freddo pomeriggio d'inizio gennaio 1930, alla stazione di Bellano scendono sei uomini malvestiti e con la barba lunga. È la squadra di meccanici che dovrà montare i nuovi telai elettrici nel cotonificio: come spesso accade nei momenti di crisi economica, servono macchine moderne per produrre di più con meno operai. Ma non è questo l'unico turbamento che gli intrusi portano nella piccola e quieta cittadina. Perché si trovano subito al centro di una memorabile rissa, che turba il ballo organizzato per festeggiare le nozze del principe Umberto con Maria José. Nel gruppetto c'è un meccanico dall'aria fascinosa e dal nome bizzarro: Landru. Saranno in molti, e per diversi motivi, a sperare che il misterioso ospite possa aiutarli a realizzare i loro desideri.

Dal catalogo
Garzanti

Andrea Vitali

OLIVE COMPRESE

Quattro ragazzi di paese, una banda di «imbecilli», stanno mettendo a soqquadro l'intera Bellano. Naturalmente finiscono subito nel mirino del maresciallo Ernesto Maccadò, che avverte le famiglie gettandole nel panico. A far da controcanto, la sorella di uno di loro: la piccola, pallida, tenera Filzina, segretaria perfetta che nel tempo libero si dedica alle opere di carità: ma anche lei, come altre eroine di Vitali, finirà per stupirci. Tutto intorno si muove come un coro l'intera cittadina: il prevosto e i carabinieri, il podestà e la sua stranita consorte, la filanda con i suoi dirigenti e gli operai. E la Luigina Piovati, meglio nota come l'Uselànda (ovvero l'ornitologa...); Eufrasia Sofistrà, in grado di leggere il destino suo e quello degli altri; e una vecchina svanita come una nuvoletta, che suona al pianoforte l'*Internazionale* mentre il Duce conquista il suo Impero africano...

Dal catalogo

Garzanti

Andrea Vitali

ALMENO IL CAPPELLO

Ad accogliere i viaggiatori che d'estate sbarcano sul molo di Bellano dal traghetto *Savoia*, c'è solo la scalcagnata fanfara guidata dal maestro Zaccaria Vergottini, prima cornetta e direttore. Un organico di otto elementi che fa sfigurare l'intero paese, anche se nel gruppetto svetta il virtuoso del bombardino, Lindo Nasazzi, fresco vedovo alle prese con la giovane e robusta seconda moglie Noemi. Per dare alla città una banda come si deve ci vuole un uomo di polso, un visionario che sappia però districarsi nelle trame e nelle inerzie della politica e della burocrazia. Un insieme di imprevedibili circostanze può forse portare verso Bellano il ragionier Onorato Geminazzi, che vive sull'altra sponda del lago, a Menaggio, e con lui la speranza di fondare finalmente il Corpo Musicale Bellanese.

Andrea Vitali

DI ILDE CE N'È UNA SOLA

In luglio a Bellano fa un caldo della malora.
Eppure l'acqua che scorre tra le rocce
dell'Orrido è capace di tagliare in due il respiro,
perché è fredda gelata, ma anche perché nelle
viscere della roccia il fiume cattura i segreti,
le passioni, gli imbrogli, le bugie e le verità che poi
vorrebbe correre a disperdere nel lago, sempre che
qualcuno non ne trovi prima gli indizi. Come per
esempio una carta d'identità finita nell'acqua chissà
come e chissà perché. Brutta faccenda. Questione da
sbrigare negli uffici del comune o c'è sotto qualcosa
che compete invece ai carabinieri? Alla fine,
a sbrogliare la matassa ci pensa Oscar, operaio
generico, che da sei mesi è in cassa integrazione.
In quel luglio del 1970, offuscato dal caldo e dalle
ombre tetre della crisi economica, Oscar fa luce sui
movimenti un po' sospetti di Ilde, la giovane moglie
dal caratterino per niente facile, che forse sta solo
cercando il modo di tirare la fine del mese come può.

Dal catalogo
Garzanti

Andrea Vitali

GALEOTTO FU IL COLLIER

Lidio Cerevelli è figlio unico di madre vedova.
Un bravo ragazzo, finché alla festa organizzata
al Circolo della Vela non arriva Helga: bella, disinibita
e abbastanza ubriaca. Prima che finisca la cena,
sono in riva al lago: una notte indimenticabile.
Lirica, la severa madre di Lidio, abile e ricca
imprenditrice dell'edilizia, ha vedute molto diverse.
Suo figlio deve trovare una moglie «made in Italy»,
una ragazza come si deve. Ma forse Lidio ha trovato
il modo per uscire dalla trappola e realizzare tutti
i suoi sogni: durante un sopralluogo per un lavoro
di ristrutturazione, in un muro maestro scova
un gruzzolo di monete d'oro,
nascosto chissà da chi e chissà quando.
Sono l'assicurazione per un futuro radioso
o l'inizio di un mare di guai?

Andrea Vitali

UN BEL SOGNO D'AMORE

Bellano, febbraio 1973: gira voce che presso il cinema della Casa del Popolo verrà proiettato *Ultimo tango a Parigi*. In paese si scatena una guerra senza frontiere tra gli impazienti che fantasticano sulle vertiginose scene di nudo che ci si aspetta di vedere sullo schermo e coloro che pretendono di evitare una simile depravazione, e snocciolano rosari a raffica. I tempi però sono cambiati e nulla può fermare il «progresso», né intralciare gli affari di Idolo Geppi, gestore del cinema, che ha già provveduto a maggiorare i prezzi dei biglietti. Anche Adelaide, giovane e volitiva operaia del cotonificio, vuole approfittare dell'occasione. Mette con le spalle al muro Alfredo, il fidanzato eternamente indeciso: o la porterà al cinema o lei ci andrà lo stesso, magari con Ernesto, che le ha già messo gli occhi addosso e che a lei non dispiace neanche un po', per quanto sia una testa matta e finirà presto per mettersi nei guai.

Dal catalogo
Garzanti

Andrea Vitali

QUATTRO SBERLE BENEDETTE

In quel fine ottobre del 1929, a Bellano non succede nulla di che. Ma se potessero, tra le contrade volerebbero sberle, eccome. Se le sventolerebbero a vicenda il brigadiere Efisio Mannu, sardo, e l'appuntato Misfatti, siciliano, che non si possono sopportare e studiano notte e giorno il modo di rovinarsi la vita l'un l'altro. E forse c'è chi, pur col dovuto rispetto, ne mollerebbe almeno una al giovane don Sisto Secchia, il malmostoso coadiutore del parroco arrivato in paese l'anno prima e che sembra un pesce di mare aperto costretto a boccheggiare nell'acqua chiusa e insipida del lago. E poi ci sono sberle più metaforiche, ma non meno sonore, che arrivano in caserma nero su bianco. Sono quelle che qualcuno ha deciso di mettere in rima e spedire in forma anonima ai carabinieri, forse per spingerli a indagare sul fatto che a frequentare ragazze di facili costumi, in quel di Lecco, è persona che a rigore non dovrebbe. D'accordo, ma quale sarebbe il reato? E chi è l'anonimo autore delle missive? Ma, soprattutto, con chi ce l'ha?

Dal catalogo
Garzanti

Andrea Vitali

BIGLIETTO, SIGNORINA

Alla stazione ferroviaria di Varenna c'è trambusto. È stata beccata una passeggera senza biglietto. E senza un quattrino per pagare la multa. Ma non parla bene l'italiano, e capire cosa vuole è un bel busillis. Ora il capostazione si trova lì, nel suo ufficetto, con davanti Marta Bisovich. Bella, scura di carnagione, capelli corvini, dentatura perfetta, origini forse triestine, esotica e selvatica da togliere il fiato. Siamo nel giugno del 1949, e sul lago di Como, in quel di Bellano, tira un'aria effervescente di novità. Ci sono in ballo le elezioni del nuovo sindaco, e le varie fazioni si stanno organizzando per la sfida nelle urne. Su tutte, la Dc, fresca dei clamorosi successi alle politiche del '48, attraversata ora da lotte intestine orchestrate dall'attuale vicesindaco Amedeo Torelli, che aspira alla massima carica. La bella e conturbante Marta, invece, ha altre aspirazioni. Le basterebbe trovare un posto dove vivere, e questo è il motivo per cui ha deciso di puntare le sue ultime chance sulla ruota di Bellano, dove certe conoscenze non sono nelle condizioni di negarle un aiuto.

Finito di stampare nel mese di febbraio 2015
da Grafica Veneta s.p.a., Trebaseleghe (PD)